集英社文庫

今夜 誰のとなりで眠る

唯 川 恵

集 英 社 版

今夜　誰のとなりで眠る

〈主な登場人物〉

北村真以子……フリーのデザイナー
杉田順也……真以子の恋人、フリーライター
仲井協子……真以子の友人、航空会社に勤務
稲本じゅん子……カルチャーセンターでパートする主婦
稲本達郎……じゅん子の夫、印刷会社勤務
鹿島七恵……貿易会社の役員
葉村秀一……七恵の元夫、建築設計事務所に勤務
高瀬秋生……真以子、協子、秀一の学生時代の友人
佑美……秋生の妻、じゅん子のパート仲間

真以子

午後から降り始めた雨が、隣のマンションの壁を黒く濡らしていた。

真以子《まいこ》は手を止めて、ぼんやりとその影絵のような模様を眺めていた。

こうしていると、ほんの五分前から眺めていたような気もするし、朝からそうしていたような気もする。

足元には茶色と黒のブチが入った猫が丸まっている。右目の見えないその猫とは、もう八年も一緒に暮らしている。

この古ぼけたマンションに越してきた日、近くの駐車場で拾った猫だ。まだ手のひらにのるような大きさだった。右目が爛《ただ》れていて、膿《うみ》が涙のように溜まっていた。いけないものを見てしまったような気がしていったんは足早に通り過ぎたが、結局、立ち去ることができなかった。たぶん、生き物に気持ちが惹《ひ》かれる時、誰もがこう思うはずだ。

私に似ている。

真以子も同じだった。みじめったらしく、そこに蹲《うずくま》っているしかない猫が自分と重なった。

猫はそばに行っても、抱きかかえても、家に連れ帰っても、翌日、近所の獣医に連れていっても、まったく鳴かなかった。

右目はもう手遅れだと言われた。家に帰り、教えられた通りにミルクを与えた。そのミルクをすべて飲み終えてから、ようやく顔を上げ「ミィ」と短く鳴いた。名前がそれで決まった。

パソコンの画面には、手付かずの仕事が映っている。明日の朝には仕上げなければならない七ページ分のレイアウトがそのままだ。

気が乗らない、などと不満を言えるような立場ではないことはわかっている。与えられた仕事はこなさなければならない。たとえそれがどんなに興味のない健康食品の記事だとしても、贅沢《ぜいたく》など言えるはずもない。締切を守らなければ、来月から依頼は来なくなる。

雑誌の誌面の文字や写真をレイアウトする作業、デザイナーと呼ばれる仕事をするようになって十年がたった。

今も時々思うことがある。

私はどうしてこんな仕事をしているのだろう。

大学を卒業して、最初に就職したのは公立の図書館の司書だった。別に本が好きだったわけではなく、図書館ならば、静かで落ち着いた毎日を過ごせるような気がしたからだ。

その頃、まだ二十歳を少し過ぎたばかりだというのに、真以子は自分の若さが鬱陶《うっとう》しくて、早く年を取りたいと望むような女の子だった。

広尾の公園の中に建つ図書館は、期待通り静かで落ち着いていた。しばらくは心穏やかに過ごしたものの、じきに、居心地が悪くなった。

結局、二年勤めて、自分が本当は少しも、静かで落ち着いた毎日を過ごしたいなどと思っていたわけではなかったことを知った。

求人広告で見つけた小さな出版プロダクションに応募し、採用された。

そこは図書館勤めとは対照的で、デスクで同じ仕事を五分も続けていられないような忙しさだった。人数が少ないこともあり、真以子は何でもやらされた。編集作業から、取材、原稿起こし、デザイン、校正といった具合だ。

忙しさは、真以子を「考える」という面倒なことから解放してくれた。毎日、ベッドに倒れ込むと朝まで死んだように眠った。

二年で、会社は倒産した。

ベテランの女性社員が独立し、自分の編集プロダクションを持った。真以子も来ないかと誘われたが、今までのような仕事量を抱え込める自信はなかった。生理が三ヵ月も来ないような生活だった。

出版全般に関しての経験はある程度積んだ。その中で、自分にいちばん合っていそうな仕事を続けることにした。それがデザイナーだった。

結局、フリーという形で始めた。メインはその独立した女性の会社の仕事だが、それだけでは食べることはできず、他に、今まで付き合いのあった出版社や雑誌社を回って、何とか生活のメドがつく仕事を得るようになった。

贅沢ができるわけではない。けれども、贅沢を望んでいるわけでもなかった。家賃が払えて、食べることに困らず、足元で丸まっているミィと生活できればそれでいい。

キーボードにいったん指をのせたが、どうにも考えがまとまらずそのまま引っ込めた。

かつてはすべて手作業で行なっていた。文字を数えるのも、レイアウトを考えるのも、基本的に紙と鉛筆があればできる仕事である。しかし、最近はパソコンのDTPソフトを使うのが主流となっている。時間が節約できるのが何よりの長所で、もちろん真以子もそれを使っているが、まだうまく馴染《なじ》まない。紙の上では広がった想像力が、画面の上となるとやたら戸惑ってしまう。

不意に電話が鳴り、真以子は我に返って受話器に手を伸ばした。

「はい」

「久しぶり、真以子。私よ、協子《きようこ》」

真以子の耳に、昔からそうだったひっそりとした協子の声が、静かに流れ込んできた。

「えっ、協子なの」

「そう」

「ほんとに久しぶり。元気にしてた？　どうしたの、急に電話なんか」

協子とは大学時代からの友人だが、ここ何年も会っていない。年賀状を交わす程度の間柄になっている。

「あのね」

言葉にためらいが覗《のぞ》いている。

「覚えてるかどうかわからないけど」

「なに？」

「高瀬秋生《あきお》のこと」

その名前を聞いた瞬間、遠い昔にしまい込んだ何かが、しまったはずの本人さえそれが何だったか忘れているが確かにあった何かが、ふわりと記憶の奥から甦《よみがえ》った。

「どうしたの、彼」

「死んだわ」

じゅん子

稲本じゅん子は、朝から気忙《きぜわ》しく動き回っていた。

朝食を準備しながら、子供ふたりと自分用の三つの弁当を作り、その間に洗濯機を回し、ゴミをまとめ、ランドセルの中身を確認し、夫のワイシャツや靴下やハンカチを整える。

別段、今朝が特別というのではなく、毎朝、似たようなものだ。

七時半に夫が家を出て、八時に子供たちが小学校に向かう。それを見送って後片付けをし、洗濯物を干し、掃除機をかける。九時過ぎには自分もパートに出掛けなければならない。

横目でワイドショーを見ながら、簡単に化粧をし、着替えた後、火の元と戸締まりを確認して玄関を出た。

そうして思わず短く息を吐いた。一日はまだ始まったばかりだ。

歩き始めてしばらくしてから、西の空がいくらか暗く濁っていることに気付いた。洗濯物をどうしようか、一瞬迷った。天気予報はそうは言ってなかったが、もしかしたらパラッとくるかもしれない。けれど戻ればパートに遅刻してしまう。仕方ない、濡れたら濡れた時だと諦《あきら》めて、駅に急いだ。

電車は通勤ラッシュの時間帯からはずれているものの、かなり混んでいる。座れる幸運は週に一度あればいい方だ。

十時少し前に、渋谷にあるパート先のカルチャーセンターに到着した。

じゅん子はここで事務をやっている。といっても、ほとんど雑用に近い事務だ。

結婚前は正社員だった。その頃は、カルチャーセンターという性質上、九時六時の早番と十一時八時の遅番があり、残業を含めると帰宅が十時を過ぎることもたびたびだった。週休二日制ではあるが、土日に重ねて取れるのも月に二回しかなかった。

夫の稲本とは二十四歳の時、友人の紹介で知り合い、半年ちょっとの交際で結婚した。今から、十年前のことだ。

じゅん子は、子供の頃から自分が美しくないことを知っていた。かといって、それを補える才能や才覚を持つような女でないことも承知していた。

それなりに自分に似合う化粧を工夫したり、髪型にこだわったり、ファッションにも気を遣ったが、たいがいそれは失笑をかうか無視された。

そんな女にも男に好みがある、ということは世の中にはひどく図々しく映るらしい。

以前、誘いの電話をかけてきた男がいた。目が細く、太っていて、全体に不潔な感じがする男だった。男から誘われることなどほとんどないとわかっていても、どうしても受ける気になれなかった。

相手に失礼がないよう、誠意をもって断ったつもりである。しかし、男は心底驚いたようにこう言った。

「君はそういうことができる立場じゃないと思うんだけど」

美しくない、というだけで、女はこんなにも傷つけられなければならないのだ。それを痛感した時、じゅん子は決心した。

一刻も早く結婚しよう。今、自分には若さがある。それを失ってしまう前に。

友人から稲本を紹介された時、このチャンスを逃したくない、と強く思った。稲本はハンサムというわけではなかったが、くっきりとした二重の目と、きれいに並んだ歯を持っていた。

二度目のデートでホテルに入った。じゅん子が誘ったようなものだ。それから会えばホテルに入る、という関係をしばらく続けた。じきに妊娠した。

「産むわ、絶対に産みたいの」

幸運なことに、稲本は善良な男だった。じゅん子が処女だったことも知っている。覚悟を決めて、結婚へと話を進め始めた。

正社員からパートに変わるのを望んだのはじゅん子の方だ。夫は印刷会社に勤めていて、時には現場に出ることもある。じゅん子以上に時間が不規則であり、結婚しても続けようと思えばできないこともなかったが、妻としての生活を犠牲にするほど価値がある仕事とは思っていなかった。

かといって辞めてしまうには惜しい。いずれは家も欲しいし、生まれてくる子供にもお金がかかる。上司に相談すると、うまくパートにあきがあるという。仕事に慣れているということもあり、残ることができた。

三年後にはもうひとり生まれた。ふたりの子供を保育園に預けてのパート勤めはきつかったが、今となれば続けていてよかったとつくづく思う。

三年前に、世田谷《せたがや》線沿線にある若林という町に一軒家を購入した。三十坪足らずの小さな中古家だが、ローンの払いは三十年近くもある。教育費も年々嵩《かさ》む。夫は反対しているが、じゅん子はできることなら、ふたりとも私立中学を受験させたいと思っている。

午前の仕事を終えて、ロッカー室のテーブルで自分で作った弁当を食べ、一時になって席に着くと、窓の外にぽつりぽつりと雨が降り始めているのに気がついた。

ああ、やっぱり洗濯物を取り込んでおけばよかった。家に帰ったら、もう一度洗濯機を回さなくてはならない。乾燥機が欲しいのだが、もったいないが先に立ってなかなか買う気になれない。

午後の仕事は、月謝を滞納している会員への督促と、会員期限が切れかかった会員へ更新を勧める電話だ。カルチャーセンターも不況の煽《あお》りを受けて、年々、会員数が減っている。

十件ばかりの電話を終えると、課長から声がかかった。

「稲本さん、ちょっといいかしら」

「はい」

じゅん子は席を立った。

課長の沢田未知子はじゅん子と同い年だ。入社も同じで、つまりかつての同僚にあたる。

当時から未知子は美しく聡明で、上司や同僚や後輩からの受けもよかった。仕事場にもよく男から電話がかかったり、時には通用口で待ち伏せされたりしていた。

そこにははっきりした女の差があった。そのことに嫉妬《しっと》するということ自体、馬鹿げたことであり、勝負にもならないのは最初から承知していた。女というのは美しいかそうではないかということで、スタートからまったく違う人生を歩かされる、ということを改めて思い知らされただけだった。

それでも今、結婚もせずに課長席に座る彼女を見ていると、以前のような気後れを感じることはない。キャリアの道に成功したには違いないだろうが、どこかしら侘《わび》しさのようなものを感じる。今も未知子は確かに美しい。けれども、以前の輝きを失い、それに比例するようにぽってりと厚塗りになったファンデーションや濃く太くなってゆくアイラインに、隠せない毎日の疲れが滲《にじ》んでいる。

こんな時、結婚して本当によかったと思う。あの頃には、夢にも思わなかった同情のようなものを彼女に感じる。

じゅん子は課長のデスクの前に立った。

「何でしょう」

「悪いけど、今夜、あいてる？」

残業を頼まれることはめったにない。それがいやでパートになったのだ。できることなら断りたいが、課長である未知子の機嫌を損ねたくないという気持ちもある。最近、こんな小さな仕事場でもリストラの風が吹いていて、先月、パートがふたりクビになった。

「どれくらいかかりそうですか」

「残業じゃないの」

右手にボールペンを持ったまま、未知子が椅子の背もたれに身体を預けた。

「お通夜に行ってもらいたいのよ」

じゅん子は思わず前かがみになった。

「じゃあ、高瀬さんの」

「そう、お亡くなりになったんですって。さっき、連絡が入ったわ」

同じパート仲間の高瀬佑美《ゆみ》の夫が、事故で入院したと聞かされたのは四日前だ。それからずっと看護のために休んでいたが、まさか死ぬとは思ってもいなかった。佑美とは親しくしていた。わりに家が近いということもあり、自宅に遊びに行ったこともある。亡くなったご主人にも二、三度会った。

「ちょっと誰も都合がつかないのよ。稲本さん、高瀬さんと親しかったでしょう。悪いけれど、会社を代表してということでお願いできないかしら。もちろん、残業手当はつけるから」

「わかりました、行ってきます」

「よかったわ。帰りに経理の方に寄ってちょうだい。お香典の用意をしておくように言っておくから。じゃあ、よろしくね」

じゅん子は場所と時間が書き込んであるメモを手渡されて席に戻った。

住所からして、下北沢《しもきたざわ》の、佑美の家のすぐ近くの寺のようだった。

そう、あのご主人、亡くなったの。

どこかしら摑《つか》みどころがなく、何を考えているかわからない目をしていた。その目に見つめられるとどうにも不安になった。女を惹きつけてやまない特別な匂いのようなものを持った男だった。

そう、亡くなったの……。

胸の中で呟《つぶや》き、やっぱり帰って喪服に着替えた方がいいかしら、と考えていた。

七恵

鹿島七恵《かしまななえ》は受話器を手にしたまま立っている。ベランダの向こうに広がる公園の木々が、雨に淡く煙っている。

電話の相手は、かつての夫の秀一だ。

「秋生が死んだよ」

「死んだ？」

七恵は言葉の意味をうまく理解できないまま、問い返した。

「ああ、死んだ」

短い沈黙があって、波が押し寄せるような動揺が広がった。

「いつ、どうして？　死んだって、いったい何があったの」

矢継ぎ早に尋ねた。

「事故らしいが、詳しいことはわからない。さっき、奥さんから連絡をもらった。今夜、通夜だそうだが、君はどうする？」

素っ気なく秀一は言っているが、その中に彼自身の緊張も覗いていた。

「もちろん行くわ」

考える、という機能が止まってしまったみたいに、頭の中が熱く膨《ふく》らんでいる。

「わかった。だったら六時にそっちに迎えにいこう。美弥《みや》はどうする」

「美弥ね、そうね、どうしたらいいかしら」

「連れていくわけにもいかないだろう。恵比寿のお義母《かあ》さんに預かってもらえるかな。だったら、美弥を先に車で送って、それから通夜に向かおう」

「ええ、わかったわ、母に電話しておくわ」

鸚鵡返《おうむがえ》しに、七恵は答える。

「大丈夫か」

秀一が、もう長く聞いていないような、思いやりに満ちた声で尋ねた。

「ありがとう、大丈夫よ。ちょっと驚いただけ。六時ね。待ってるわ」

「じゃあ、その時に」

七恵は受話器を戻すのも忘れて、そのままソファに座り込んだ。

秋生と秀一は、学生時代からの友人だ。男同士の友情をどんなふうに表現するのがふさわしいか適切な言葉を選ぶのは難しいが、親友と呼べる間柄ではなかったかと思う。

七恵は女子大を卒業した翌年、親しかった女友達の婚約パーティに招待され、そこでふたりと出会った。

女友達の婚約者が秀一と知り合いで、その秀一がたまたま秋生を連れてきたということだった。

秀一は建築設計事務所に勤めていたが、いずれは父親が営む会社に戻ることになっているという。

「条件として申し分ないと思うのよ」

と、女友達が意味ありげに耳元で囁《ささや》き、「私も婚約さえしてなかったらね」と、肩をすくめながらつけ加えた。

「ねえ、彼のことどう思う？」

秀一とはさっき五分ほど立ち話をしただけだ。その範囲で感じたことを正直に口にした。

「素敵な人だと思うわ」

「でしょう。付き合っちゃいなさいよ。彼、あなたのこと結構気に入ってるみたいよ」

その時は笑って受け流したが、結局それから三年後、七恵は秀一と結婚することになった。

白金に秀一の両親から新居となるマンションを用意され、七恵は勤めていた外資系の銀行を寿退社し、挙式は赤坂のホテルで行ない、ハネムーンはヨーロッパに出掛けた。誰にも羨《うらや》まれ、祝福され、まさに満ち足りた結婚生活の始まりだった。やがて、美弥というかけがえのない娘にも恵まれた。幸せが、もっともわかりやすい形で手の中にあった。

あの頃、まさかたった七年で破局を迎えようとは、七恵自身、考えてもいなかった。

離婚の原因は何だったのか、理由付けするのは難しい。やはり、ありふれたあの言い訳、性格の不一致、に括《くく》るしかないのだろうか。

そうかもしれない、と思うこともあるし、ぜんぜん違うとも思える。激しい諍《いさか》いや、互いに気持ちが動かされる相手が現われたというわけでもなかった。双方の両親ともうまくいっていた。

もし、ひとつだけわかっていることがあるとしたら、すべてが結婚してから始まったわけではないということだ。

七恵も秀一も、結婚さえすればうまくいくに違いないと考えた。それは、期待であり、祈りのようでもあった。そうすることが、幸福を手に入れる唯一の術《すべ》のように思えた。

確かにあの頃、七恵は秀一を愛していたし、秀一もまた七恵を愛してくれていたと思う。そのことに嘘はなかったはずだ。ただ、愛情というものそれ自体が、生き物であるということをうまく理解していなかった。

別れる時、秀一が慎重に選びながら言った言葉を今もよく覚えている。

「僕たち、いつもふたりじゃなかったね」

七恵はゆっくりと顔を上げた。

それから不意に泣きたくなった。

そう、いつもふたりじゃなかった。

協子

困ったことが起きると、いつもどうでもいいようなことを真剣に考え始める。

その癖を協子は今日も持ち出している。

それは、ずっと前に観た映画のことだ。女ふたりの逃亡ものなのだが、主演女優のスーザン・サランドンの名前はすぐに思い出したのに、もうひとりの名前が思い出せないのだった。

ブラッド・ピットも出ていたわ、悪役で……。

どうでもいいことばかりが甦ってくる。

六時に下北沢の北口で真以子と待ち合わせていた。改札口に立っていると、肩を叩《たた》かれた。見知らぬ女が立っている。

「待った?」

そう言われて、初めて真以子だということに気がついた。会うのは何年ぶりだろう。

「ああ、ごめんなさい。ぼんやりしてたわ」

「大丈夫?」

真以子の声が水の中で聞くように淀《よど》んでいる。声だけじゃない、その顔も、見えるものすべてが、妙に歪《ゆが》んで見える。

「ええ、大丈夫」

ふたりは駅を出て、通夜が行なわれる寺へ歩き始めた。

「驚いたわ、秋生のこと」

「ええ」

それにしても、どうしてあの女優の名前が思い出せないのだろう。ひらべったい顔をして、意志の強そうな唇をして、背が高くて。

「今も信じられないわ。あの秋生が死んでしまったなんて」

名前の最初は濁音だったような気がする。ガとかギとかグとかいうような。

「協子、聞いてる？」

我に返った。

「えっ、ごめんなさい、何？」

「どうしたの、やっぱり変よ。本当に大丈夫なの？ それに悪いけど、どうしたの、その格好」

「格好って」

協子は立ち止まって自分を見た。

本当に、どうしてこんな格好をしているのだろう。

シルクの白いブラウスに、デニムのスカートを穿《は》いている。足元はミュールで、バッグはビーズの小振りのものだ。何をどう考えてこれらを選んだのか、さっぱり思い出せない。

思い出せないといえば、ここ数日間のことも、ほとんど思い出せなかった。眠っていないということが原因していることはわかっている。眠らなくては、と思っている。実際、身体は疲れ果て、眠りを欲している。けれど、頭の中は氷が詰め込まれたように冷たく硬直している。

「ほんと、私ったらどうしたのかしら。やだわ、この辺りで喪服を売ってるところないかしら」

真以子が困ったように首を振った。

「そんなつもりで言ったんじゃないの、お通夜なんだもの、何も喪服でなくてもいいわけだし」

「ほんとにこれでいいと思う？」

「それより、秋生のことだけど」

「おかしくない？　笑われない？」

「大丈夫、気にすることはないわ。それより、どうして秋生のこと知ってたの？」

協子は真以子に目を向けた。

「どうしてって?」

脳裏にいくつかの場面がフラッシュバックする。

「大学を卒業してからも、秋生と付き合いがあったの? そんなこと、ぜんぜん言ってなかったでしょう」

身体がしんとした。冷静というのとは違う。虚無感のような脱力感のような静けさが、協子の身体を支配してゆく。

不意に胸が絞り上げられた。五日前のあの夜の一瞬が、驚くような鮮明さで甦ってきた。身体が震え始めた。

協子は泣いていた。けれど、泣いているという意識はなかった。あの時から、すべての感覚が失われてしまった。

「真以子、私ね、妊娠しているの。お腹の中に、秋生の子供がいるのよ」

佑美

佑美はほとんど我を失っていた。

秋生の死をひとりで抱え込まなくてはならない現実があまりに重すぎて、吐き気や頭痛やめまいに襲われ、立っているのがやっとだった。

「大丈夫ですか?」

看護師が気の毒そうに声をかけてくる。

「はい」

息もたえだえに頷《うなず》いたが、とにかく誰でもいいからそばにいて欲しかった。前のめりになったままの自分を支えて欲しかった。

壁に手を当て、伝い歩きするように廊下に出て、公衆電話の前に立った。指が番号を覚えているような、親しい付き合いを持つ友人などひとりもいない。思い出せるのは両親の家の番号くらいだ。しかし、実家にはもう六年も連絡をしていなかった。

それでも、今はそこしかないように思え、番号を押した。短いコールの後「久田でございます」との返事があった。母の声だった。

記憶の底に追いやっていた懐かしさが、受話器を持つ佑美の指を震わせた。

「もしもし、どちらさまでしょう？」

六年前、父にも母にも何も告げず、佑美は姿を消した。何もかも捨てて家を出てきた。そこに何があったかなど、父も母も知るはずもない。結局、なんて親不孝な娘だと、泣かせてしまっただけだ。

母が沈黙している。何かを感じ取ろうと、神経を集中させているのがわかる。

佑美は受話器を戻した。かけるべきではなかったことを今更ながら痛感していた。

しばらくして、秋生の携帯電話が枕元の引き出しに入れてあったことを思い出して病室に戻り、アドレスを繰ってみた。知らない名前ばかりが並んでいる中で、ひとりだけ覚えのある名を見つけた。葉村秀一。秋生の学生時代からの友人で、佑美も顔を合わせたことがある数少ない知り合いのひとりだ。

電話の向こうで、秀一は黙り込んだ。繋《つな》がっていないのではないかと不安になり、佑美は呼びかけた。

「もしもし」

「はい、聞こえてます。あまりにも突然のことだったから、ちょっと驚いてしまって」

それから、言葉を選ぶように「あなたは大丈夫ですか？」と尋ねてきた。

不意に涙が溢《あふ》れた。それまで泣く余裕すら佑美にはなかった。もう、泣いていい。悲しんで構わない。

「すみません、私ひとりではいったい何をどうしていいのかわからなくて」

泣いてしまうと、いくらか気持ちも落ち着き、佑美は呟いた。

「謝ることなんてありません。よかった、僕に連絡をくれて。二時間で行きます」

秀一の言葉に、佑美は「よろしくお願いします」と答えるのが精一杯だった。

きっかり二時間後、驚いたことに、秀一は秋生の兄という人を連れて現われた。一緒に暮らし始めて六年、秋生の肉親に会うのは初めてだった。

その人は、佑美に向かって硬い表情で頭を下げると、ベッドに横たわった秋生を一瞥《いちべつ》した。

「ご面倒をおかけしました」

佑美はうまく焦点の合わない目で、ぼんやりとその人を眺めた。

アーモンド形の一重の目や、右側だけ少し上がった眉や、男にしては作りの華奢《きやしや》な鼻や、色素の薄い唇が、驚くほど秋生とよく似ていた。けれども、全体として見ると、似ても似つかない顔なのだった。

「遺体はこちらで引き取りたいと思います」

その人が言った。隣に立つ秀一が、困惑したように兄という人に顔を向けた。

「いや、でも、それは」

「どうせ籍は入っていないんでしょう。この人が責任を負うことはない。通夜とか葬式とか、女ひとりでは大変ですからね」

抑揚のない声が向けられた。その時になって、まだ悲しみにくれている場合ではないのだということを佑美は思い知った。

佑美は緊張した声で返した。

「籍は入っていませんでしたが、私たちは夫婦でした。すべてのことは、私がやらせていただきます」

もっとはっきりと言いたかったのだが、悔しいことに自分の声が掠《かす》れていた。

兄という人は少しも態度を変えず、淡々とした口調で尋ねた。

「本当にそれでよろしいのですか？」

「はい」

「そうですか。だったら、あなたの好きになさるといい」

「通夜とお葬式の場所が決まりましたら、またご連絡いたします」

皮肉な眼差《まなざ》しが向けられた。

「連絡いただいても、無駄になるかもしれません。秋生とはもう何年も前に縁を切っていますから」

「それはそれで仕方ないことだと思っています」

秋生の兄という人は、ベッドに横たわる秋生の遺体に手を伸ばし、顔にかけられた白い布の先を十センチばかり上げた。それから黙ったまま、しばらくの間、見入った。

「馬鹿な奴だ」

呟く声が、強張《こわば》っていた。それが憎しみなのか悲しみなのか、佑美には理解できなかった。

兄という人が帰って、秀一は気まずそうに頭を下げた。

「申し訳ないことをしました。あなたに相談してから連れてくればよかった」

「いえ、いいんです」

「まさか、あんなことを言い出すなんて思ってもいなくて」

「ご家族なら当然のことです」

それから、秀一は「いいですか」と佑美に許しを請い、秋生の前に立った。白い布を緊張した指先で取り、覗き込むように見下ろすと、「眠ってるみたいだ」と長く息を吐いた。そうして、呟くようにこう付け加えた。

「秋生らしいな」

確かに、秋生らしい死に方だと佑美も思う。

濃密に暮らした六年だった。秋生は頻繁《ひんぱん》に仕事を変え、そのたびに住む場所も変わった。いったいどんな仕事をしていたのか、今も佑美にはよくわからない。聞いたこともあるが、秋生は笑って、心配することはないさ、と答えるだけだった。

六本木に近い豪華なマンションに住んだこともあるし、ビジネスホテルに一ヵ月近く暮らしたこともある。雨漏りがするようなアパートに移ったこともある。生活は目まぐるしく変化した。下北沢の今のアパートに越してからは二年がたとうとしていた。

下北沢に来てから、秋生はほとんど仕事らしい仕事をしなくなった。毎日、昼頃まで寝て、午後になるとふらりと出ていく。生活費を稼ぐため、佑美は昼はカルチャーセンターのパートに、夜は居酒屋でアルバイトをした。

もちろん、そういった生活に満足していたわけではない。けれども、別れようなどと思ったことは一度もなかった。一緒にいさえすれば、それだけで幸せだった。

「僕にできることは何でも言ってください」

と、秀一は言ってくれたが、その時にはもう、自分ひとりで引き受ける覚悟はできていた。

翌日と翌々日の通夜と葬式は、滞《とどこお》ることなく執《と》り行なわれた。

夫を亡くした妻というものを、佑美はシナリオ通りに動く役者のようにこなした。見覚えのない顔が、見覚えはあるが名も知らぬ顔が、顔も名も知っているが知り合いとは呼べない顔が、神妙な態度で秋生の写真の前に並んでいた。

「気丈だ」という声が記憶の隅に残っている。涙を見せなかったり、きちんと挨拶を返していることが、そう取られたのだろう。悲しんでいるように見えないことと、悲しんでいないことが同じではない、ということがわからない人たちがいるのは仕方のないことだ。

列席者たちの目に、悲しみにくれる妻と映らなくても構わなかった。どうせ、自分と秋生のことなど何も知らないのだ。どう思われてもいい。けれども、それでは知っている人間が自分たち以外いったいどこにいるのだろう。それを考えると、砂が崩れ落ちていくような虚無感に包まれた。

来ないかもしれないと思っていた秋生の兄が、最後列の座布団に座っていた。それだけが、記憶にはっきりと残った。

あれから何日たったのだろう。

佑美はチェストの上に置かれた白い壺《つぼ》を眺めた。

秋生の死は気が狂うほど悲しい。孤独という獰猛《どうもう》な生き物に、身体を少しずつ蝕《むしば》まれていくような気がする。だが、その悲しみの片隅に、自分でもよくわからないのだが、肩の荷が下りたような感覚もあるのだった。

秋生と出会ってから、佑美は常に、秋生を失ってしまうのではないかという怖れを抱いて暮らしてきた。毎朝、目を覚まして最初にするのは、秋生の姿を確かめることだった。隣で眠っている秋生を認めるとそれだけで安堵《あんど》し、佑美自身、生きていることを、自分がこの世にまだ存在していることを、確認した。

秋生の死によって、確かに秋生を永遠に失ってしまった。けれども、もう二度と、失うのではないかという恐怖を抱く必要はなくなった。

愚かなことを考えている、と自分でも思う。悲しみで感覚が麻痺《まひ》してしまったのかもしれない。

秋生……。

佑美は白い陶器の壺に向かって呟く。

秋生、私はこれからどうすればいいの？

協子

協子は大手航空会社に就職して、今年で十五年になる。

今は地上サービス課で主任の肩書きを持っている。部下も十人ばかりいる。五年前まではグランドホステスとして成田空港に勤務していた。シフト制で体力的にはきつかったが、仕事としては楽しかった。身につけた語学も生かすことができたし、気の合う同僚たちも多くいた。それに較《くら》べると、予約業務や一般事務が主な仕事となった今は、主任に昇格したもののいくらか物足りない気もする。

大学卒業の時は、スチュワーデスを目指していて、そのためのスクールにも通っていたが、両親に反対されて諦めた。

年の離れた末っ子でひとり娘の協子はとにかく可愛がられた。駒沢《こまざわ》公園近くの深沢という住宅地に一軒家を持ち、中堅商事会社の役員である父、専業主婦の母という環境の中で、経済的にも精神的にも追い詰められることなど一度もなく、のんびりと豊かに育てられた。

兄がふたりいるが、協子が大学四年の頃にはすでに結婚して家を出ていた。上の兄は家電メーカーに勤め、全国を転勤して回っていて、おそらく定年までそれが続くだろうということだった。下の兄は妻の実家の敷地に家を建ててもらい、ほとんど婿養子のような状況だ。両親の元に残ったのは協子だけということもあり、スチュワーデスは家をあける日が多くて寂しいと母は言い、墜落でもしたらどうすると父は言った。結局、両親の意向を優先して就職した。

協子は生まれてこの方、実家以外で暮らしたことはない。大学も職場も通える距離の範囲で、その必要がなかったというのが大きな理由だ。

自宅から通えば、自由になる小遣いも多い。帰宅すれば、母が食事を作って待っていてくれる。たとえ遅くなっても、チンするだけで食べられるように用意してある。それでもキッチンでごそごそやっていると、たいがい母が起き出してきてあれこれ世話をやき始める。風呂はいつでも入れるよう沸いているし、部屋の掃除や、下着以外の洗濯もすべて母任せだ。

両親は必要ないと言ったが、さすがに心苦しく、生活費を家に入れている。今は月に五万円だが、三十歳までは三万円だった。それを母が協子名義で積立預金をしていることも知っていた。

二十代後半の頃、ひとり暮らしをしてみたい、と口にしたことがある。ただ単純な憧れがあった。それに対する両親の言い分はこうだった。

「どうせいつかはお嫁に行くんだから、家を出るのはその時でいいじゃない」

協子もそれでいいと思った。本気で言ったわけじゃない。

実際、ひとり暮らしをしている友人を見ていると、自由はあるかもしれないが、それと引き替えにするものもまた大きいということがわかる。家賃を始め、食費や光熱費、電話代、といった生活費。防犯の面でも空き巣や覗きやストーカーなどと、怖い目に遭った者も多い。とても自分にひとり暮らしなどできるとは思えなかった。それに自由があるといっても、せいぜい恋人を気がねなく泊まらせることができるくらいのことだ。

それなりに付き合った相手も何人かいたが、結婚にまでいたるような進展の仕方はしなかった。三十歳の少し前から、両親も焦り始めたのか見合い話を持ち込むようになり、実際、何度か見合いもしたが、失望の繰り返しだった。どうにも胸がときめく相手とは出会えなかった。

いつ頃からだろう、両親が結婚を口にしなくなったのは。

それは両親と娘の立場が微妙に逆転し始めた頃と一致するように思う。

いつまでも独身のままでいる娘への心配は、やがて娘がこの家から出ていったら後はどうなるのだろう、という不安に変わっていったようだった。協子もまた、両親の庇護《ひご》の下《もと》で暮らす安心感が、いつか両親を守らなければならないという責任感に変わっていった。

兄はふたりいるが、任せられる可能性は薄い。幸い今はこれといって患っているところがあるわけではないが、父は退職してからめっきり老け込んだし、母は腰や膝《ひざ》が痛いとこぼすようになった。介護についての新聞記事やテレビ番組などに、つい見入ってしまう自分がいる。もう他人《ひと》ごととは思えなくなっている。

協子は今年三十七歳になった。

結婚に対する願望や夢は、ずいぶん薄くなってしまったが、老後の自分を考えると時折、闇《やみ》に呑《の》み込まれるような不安を感じる。もし今、結婚することがあれば、両親とども引き受けてくれる男であって欲しい。

それにしても……。

と、協子は時々わからなくなる。

どうして自分はこんな人生を歩むことになってしまったのだろう。

もともとキャリア志向などまったくなく、数年勤めたら結婚をし、働くことは続けるにしても、夫がいて子供がいるという当たり前の家庭を持つとばかり思っていた。両親は大切に思っているが、まさか自分が面倒をみるようになるとは考えてもいなかった。

そうして今、秋生の子を妊娠している。結婚の約束もない、どころか一緒に暮らしている女がいるような男の子供だ。

ほんの三ヵ月ほど前、下北沢の小さな劇場で、協子は秋生と再会した。

十五年ぶりだった。秋生は学生時代のまま、どこか投げ遣《や》りで、拗《す》ねていて、それでいて女をとろけさせる孤独な眼差しを持っていた。

学生時代のほぼすべての時間、協子は秋生と共に過ごした。協子は秋生を恋人だと思っていたが、秋生はそうではなかったのだろう。協子に好きだと言いながら、悪怯《わるび》れることなく、他の女と付き合っていた。秋生のアパートで、知らない女とベッドに入っている現場を見たこともある。そのことで協子がどんなに傷ついても、秋生はそれ自体、理解できないようだった。

──気にするほどのことじゃない。

「どうして？　信じられない」

──感情のない相手でも寝ることはできるさ。どんなに愛していても手さえ握れない相手がいるように。

「私を好きなら、私をどうして傷つけるの？」

──君を傷つけるつもりなんかまったくないよ。大切なことは、何があったかじゃない。君を傷つけようとする気持ちが、僕にあるかどうかということだ。

協子はただ混乱するばかりだった。

ろくでもない奴、と、軽蔑《けいべつ》と非難の目を向ける男子学生も多かった。しかし、秋生は少しも気に留めることなく彼独特のペースで振る舞っていた。

四年生の夏、秋生はゼミの担当である助教授の妻と共に姿をくらました。その前夜には、ふたりで多摩川《たまがわ》まで花火を見にいき、暗い道で何度かキスをし、家の前で「じゃあ、また明日」と別れていた。信じられなかった。

駈《か》け落ちだ、逃避行だと、キャンパスはそのスキャンダルで持ちきりになった。

協子は友人たちから同情と憐憫《れんびん》の目を向けられ、卒業まで俯《うつむ》いてばかりいなければならなかった。

それでも、と協子は思うのだ。あの時、悲しみにくれはしたものの、恨みを抱くことはできなかった。腹立たしさはあっても、怒りとは違っていた。いかにも秋生らしい、とどこかでそう考えている自分がいた。

助教授の妻とは、一年もしないうちに別れた、と噂《うわさ》で聞いた。会いたさに、知り合いを訪ねて回ったが、行方を知ることはできなかった。

――元気？

再会した時、秋生はまるで十五年前の花火の夜の次の日のような気安さで言った。

奇跡を見るように、協子は秋生を見つめていた。

真以子

杉田順也はフリーのライターをしている。

出会った頃は、恋愛らしい付き合い方をしていたが、今ではどちらかというと姉弟のような感じだ。弟といっても年は真以子より三歳上で、今年、四十歳になる。

ネクタイを締める必要のない職種の男は、すべてにおいて縛られるのを本能的に拒否している。そのくせ、安定という境遇に対する劣等感も捨てられずにいる。同じフリーとして、そんな屈折的な男を数多く見てきた中で、順也は比較的大らかで開放的であり、真以子はそんなところに惹かれていた。

三年ほど前、結婚という話が出たが、真以子の方で踏ん切りがつかなかった。

正直なところ、自分自身とミィの面倒をみることで手いっぱいの状態だった。杉田が泊まりに来るのは嬉《うれ》しかったが、それが二日続くと、仕事と生活のリズムを取り戻すのに三日かかった。杉田は「俺のことなど気にせず、仕事があるならしろよ」と簡単に言うが、狭いマンションの中で、隣の部屋に誰かいると、どうにも集中できなかった。

これで結婚して一緒に暮らすようなことになれば、やらなければならないことを抱えすぎてきっとパンクしてしまう。

自分たちはもう十分に大人で、互いに仕事を持ち、好きに行き来できるそれぞれの住みかがあり、自分の予定を自分で組める自由がある。その快適さを犠牲にしてまで、結婚する必要などどこにあるだろう。それが真以子の結論だった。

最近はどうかするとひと月近く会わないこともあり、連絡も一週間に一、二度、元気か、とか、仕事はうまくいってるか、などと簡単な報告を兼ねたようなもので終わることもしばしばだ。セックスも、最後にしたのはいつだったか忘れてしまった。

杉田が、適当に女と遊んでいることぐらい知っていた。こういう付き合い方をしていればある程度仕方のないことだとも思っている。けれど、結婚しなくても、いやしないからこそ、真以子にとって杉田はやはりなくてはならない存在なのだった。

ひとりで暮らすことに慣れても、ひとりで生きることには馴染めない。

三十七歳の、もう若くはないが老いてもいない女にとって、自分に属する男、自分が属する男、をひとり持っているということは、ホッと息を吐《つ》ける寄《よ》る辺《べ》にもなる。

「どうした」

２４６号線沿いの、お世辞にもきれいとは言えないが思いがけず手のこんだ料理を出す中華料理屋で、ふたりはほぼ一ヵ月ぶりに向き合っていた。

「珍しいじゃないか、あんな電話」

丸くて赤いテーブルには、オイスターソースのたっぷりかかった白身魚がのっている。杉田はこの店に来ると、必ずこれをオーダーした。

昼すぎに、どうしても会いたいと、真以子の方から連絡を取っていた。

「声が切羽詰まってたよ」

「ちょっと憂鬱《ゆううつ》なことがあったの」

「なに？」

「知り合いが死んだの」

「そうか」

杉田はあまり表情を変えない。無関心なのではなくいつもこんな感じだ。

「親しかった知り合いかい？」

「ううん、学生時代に知っていただけ。卒業してから一度も会ってなかったんだけど」

「男？　女？」

「男よ」

杉田の表情がわずかに崩れた。

「わかった、その頃、真以子が好きだった男だね」

真以子は思わず苦笑した。

「まさか、ただの友達よ。助教授の奥さんと駈け落ちするような、どうしようもない男だったわ」

「ますます、好きになって当然だ」

真以子は紹興酒《しょうこうしゅ》のグラスを口に運んだ。

「問題は別の知り合いのことなの。彼女も学生時代の友人なんだけど、死んだ彼の子を妊娠してるの」

「それはまた」

真以子は、あの居心地が悪いだけの通夜と葬式のことを思い返した。奥さんが、痛々しいほどの青ざめた顔で、まっすぐ前を向いていた。膝の上で握り締めている手がひどく白く、小さく、震えていたのが今も目に焼きついている。

秋生は学生時代、とにかく目立った。いいにつけ悪いにつけ、誰もが秋生の存在を、目の端で、心の隅で意識していた。

秋生がどんな暮らしをしていたかは知らないが、どんな生き方をしていたかは想像がつく。どうせろくなものじゃない。ろくなものじゃないが、誰にもできない秋生らしい生き方。

「産むつもりなのかい、その友達は」

「さあ、それはどうかわからないけど。ただ、すごく動揺してる」

「それはそうだろうね」

「私もなんて言っていいかわからなくて」

「でも、子供はいいね。産めば、きっと可愛いと思うようになる」

「そんな無責任なこと言えないわ」

それから、真以子は首を傾《かし》げた。

「そんなこと言うなんて意外だわ。あなた、子供好きだった?」

杉田が紹興酒を自分と真以子のグラスに注いだ。

「うん、俺も年を取ったのかもしれないな。最近、子供を見ると愛《いと》しいな、なんて思ってしまう」

胸の中に、ちらりと三年前のプロポーズが甦った。あれから一度も口にしたことはないが、杉田はまだそのつもりでいるのだろうか。

「今度、子供が生まれるんだ」

唐突に、杉田が言った。

「え？」

真以子は顔を向けた。

「実は、半年前に結婚した」

言っていることが、すぐには理解できなかった。

「ごめん、もっと早く言うべきだったんだけど、やっぱりなかなか言いだせなくてね」

「今、なんて言ったの？」

真以子は慎重に聞き返した。

「だから、半年前に結婚して、もうすぐ子供が生まれるんだ」

しばらく沈黙が続いた。真以子はグラスの紹興酒を半分ほど飲んだ。箸を持ち、料理に伸ばそうとしたが、また元に戻した。紙ナプキンを手にして口を押さえようとしたが、それもやめた。

それから、ようやく尋ねた。

「恵比寿のマンションは？　先月、行ったけど何も変わってなかったわ」

「あの部屋は、仕事部屋としてそのまま使っている」

「今はどこで暮らしているの」

「世田谷だよ。女房の実家に住んでるんだ」

女房、という言葉が重く響いた。

「世田谷のどこよ」

言葉に険がこもったのが自分でもわかった。

杉田は口調をいくらか改めた。

「真以子、結婚を拒否したのは君の方だ」

興奮が全身に広がっていく。テーブルの端を摑んだ自分の指が強張っている。

「だから？　だから知らん顔して別の女と結婚してもいいってことになるの？」

「いや、そのことは悪いとずっと思ってた。決して、騙《だま》すつもりじゃなかったんだ」

「じゃあ何なのよ」

「ただ、言えなかった」

「何なの、それ。それで言い訳のつもりなの。言っておくけど、結婚を選ばなかったのはお互いに納得したことだったはずよ。それでいいって、あなた、あの時言ったじゃない。今になって、私ひとりに責任があるみたいに言わないで」

杉田は落ち着いていた。

「正直に言うよ。黙っていたのは、言えば、君が去っていくのがわかっていたからだ。俺はできることなら、今のまま真以子と付き合いたいと思ってる。俺が結婚したって、ふたりの関係は何も変わらない。すべて今までと同じだよ。実際、この半年、何も変わらなかったろう?」

無茶苦茶な言い分に、真以子は思わず笑っていた。

「確かにそう、自分のマヌケさに笑っちゃうくらい何も変わらなかったわ」

「真以子を好きだという、俺の気持ちも変わらない」

真以子は杉田を見た。そこには以前と少しも変わらぬ杉田がいた。悪い冗談と思いたかった。杉田が噴き出して「ほら、引っかかった」と言ってくれるのを待ったが、もちろん、そんなことは起こらなかった。

真以子は混乱していた。熱く膨らんだ頭の中で、今、自分にできるのは何だろうと考えた。

「とにかく」

真以子は隣の椅子に置いてあったバッグを引き寄せた。

「とにかく、今夜は帰るわ」

それを言うのが精一杯だった。

七恵

秀一とふたりで食事をするのは、離婚してから初めてだ。

案内されたのは、麻布《あざぶ》のはずれにある凝《こ》った店構えの懐石料理屋だった。玄関横の手入れの行き届いた植木といい、所々に置かれた素焼きの置物といい、嫌味なく店の雰囲気に溶け込んでいる。照明も暗すぎず、かといって身も蓋《ふた》もないような明るさでもない。秀一はこういった洒落《しゃれ》た店を探し出すのが本当にうまい。

秀一はひとめで上質とわかるスーツを、ノーネクタイでうまく着崩している。相変わらず優等生だと思う。育ちがよく、すべてにおいて礼儀を心得ているが、そんな自分をどこかで恥じる感受性も持ち合わせている。秀一を目の前にして、七恵は懐かしさと同時に、微笑《ほほえ》ましさに似たものを感じた。

先日の秋生の葬式の帰り、「今度、久しぶりに飯でも食わないか」との誘いを受けた。もし何でもない時なら、七恵も身構えたかもしれない。

何かよくない話だろうか。たとえば、養育費の問題とか、美弥の親権についての新たな提案とか。ついそんなことを勘繰ってしまっただろう。

「正直言って、ちょっと動揺してるんだ」

ハンドルを握りながら秀一は頼りなげな声で言った。

「秋生が死んでしまったなんて、まだ信じられない気持ちだよ。誰かと秋生のことを話したいんだけど、一緒に話せるのは七恵しかいないような気がしてね」

七恵も同じだった。秋生の死にまったく現実感はなかった。棺《ひつぎ》の中に花を落とす時でさえ、秋生特有の悪い冗談に乗せられているような気がした。

秋生のことを話すのなら、七恵にとってもやはり秀一しかいない。

「改めて連絡をくれる？」

「ああ、そうするよ」

秀一と結婚してから、七恵は一度も秋生と会ったことはない。ふたりの話題にのぼることすらなかった。けれども、秋生はいつも秀一と七恵の生活の中に存在していたように思う。

秀一は時折、秋生と飲んでいるようだった。秋生と会ってきた夜は、すぐに察しがついた。

秀一はもともと饒舌《じょうぜつ》で、家に帰るとたいてい一日のできごとを面白可笑《おか》しく語って聞かせてくれる。しかし、その日に限って寡黙になった。それは不機嫌というのとは違っていて、声をかければ、むしろいつもより優しい返事が返ってくる。ただ、どこかうわの空だった。早くひとりになりたがっているように感じられた。

そうなるわけが七恵にはわかる気がした。男同士には、金や社会的地位などとは関係ないところで主導権が存在する。秋生はろくでなしと呼ばれるに十分な男だが、男たちはどこかでその生き方を完全に否定することができない。軽蔑しながらも、すれすれのところで憧れのようなものを抱いている。それは秀一も同じだったのだろう。そして、そんな自分を持て余しているに違いなかった。

テーブルの上の志野焼《しのやき》らしいシンプルな器に彩りも美しく料理が盛られている。

「美弥は元気か？」

「ええ、今度水族館に行く約束をしたんですってね。楽しみにしてるわ」

こうして向かい合って日本酒の杯などを傾け合っている自分たちの姿が、何やら不思議に思えた。

秀一は再婚し、三ヵ月ほど前には男の子も誕生した。新しい妻は会社の後輩でまだ二十六歳の若さという。会ったことはないが、秀一から聞くところによると、性格の穏やかな家庭的な女性のようだ。

世の中の離婚したカップルたちは、その後、どんなふうに関わっていくのだろう。もう二度と顔も見たくない、そこまで憎み合えれば話は早いが、そうでない場合もあるはずだ。

こうしていると、わからなくなる。なぜ別れてしまったのか。今更そんなことを考えてもどうしようもないことは承知している。離婚を後悔しているわけでもない。ただ、あの時はそれ以外に道はないように思えたが、本当にそれしか解決策はなかったのか、そのことをふと考えてしまう。

秀一が二本目の冷酒を注文した。それをきっかけに、秋生の名を口にした。

「秋生と一緒に出掛けた八《やつ》ヶ岳《たけ》のこと覚えてるかい？」

「もちろんよ」

答えてから、七恵は思わず笑いだした。

「近くの小学校のプールに忍び込んだ時のことでしょう」

「そうそう、あんなことよくやったものだな」

「本当に」

その年の夏、日本列島全体が記録的な酷暑に見舞われていた。秀一の祖父の所有する山荘に、婚約パーティに招待してくれた友人を通して誘われた。メンバーは秀一、秋生、新婚の友人夫婦と七恵。会うのは二度目だった。

避暑のために、中央道を二時間もかけて八ヶ岳まで来たというのに、暑さは大して変わらず、おまけにエアコンが壊れていて、クーラーも使えないという状態だった。用意してきたバーベキューの夕食が済むと、五人ともぐったりとソファや床に寝転がった。

泳ぎに行こう、と言いだしたのは秋生だった。

「麓《ふもと》のホテルまで行くつもりかい、面倒だな。それにもう相当飲んだから、運転する気にはなれないよ」

秀一がいくらかうんざりしたように答えた。

秋生の言い分はこうだ。山荘に来る途中に小学校があり、校庭の奥に小さいながらプールがあるのを見た。そこなら、こんな真夜中、誰も来やしない。

「そこで泳ぐつもりなの？」

七恵は思わず声を上げた。

秋生はゆっくりと振り向き、口元にいくらか皮肉な笑みを浮かべた。

——そうだよ。

学校のことは七恵も覚えていた。あそこなら歩いて二十分もかからないだろう。

「よし、行くか。一晩中この暑さが続くと思うとうんざりだからな」

秀一はすぐに話に乗った。新婚のふたりは顔を見合わせて「僕たちは遠慮しとくよ」と、肩をすくめた。

秋生と秀一が立ち上がり、七恵を見下ろした。

「君はどうする？」

秀一が尋ねた。

「でも私、水着なんて持ってきてないわ」

——そんなものがないと泳げないのかい？

秋生が言い、その言葉の中にどこか見縊《みくび》るようなニュアンスが感じられて、七恵はひどく反発を覚えた。

「行くわ」

七恵もまた立ち上がっていた。

小学校の柵《さく》は簡単に乗り越えられた。夜の気配の中に淡くカルキの匂いが漂っていた。水面に白く月が映り、それが崩れて、小さな波が震えるように散っていた。

秋生がTシャツとジーンズを瞬《また》く間に脱ぎ捨て、ついでにブリーフも放り出し、水の中に飛び込んだ。まるで競うかのように秀一も裸になり、後を追った。まさか裸になるとは思ってもいなかったので、七恵はプールサイドに立ち尽くした。

やがて水面にぽっかりと秀一が顔を出した。

「何してるんだよ、泳がないのか」

風に木々が揺れ、ふたりのたてる水音が響いている。空は満天の星に埋め尽くされ、森からは懐かしいような動物の啼《な》き声が流れてくる。

七恵はタンクトップにダンガリーシャツ、短パンという格好だ。シャツだけ脱ごうと思った。それで十分に泳げるが、ふたりを見ていると、ましてやこの美しい夜の中では、何か身に着けている方がよほど気恥ずかしく思えた。水面には、秀一と秋生のお尻や頭や、時には身体の中央を覆う毛が覗いている。恥ずかしいというより、可笑しくてしょうがなかった。

「行くわ」

七恵は答え、着ているダンガリーシャツのボタンに手をかけて一気に裸になり、水の中に飛び込んだ――。

そんなことを思い出し、ふたりでさんざん笑い合った。

「よくやったわ、あんなこと」

「若くないとできないことだ」

「ほんと」

「あれから裸で泳いだことは？」

「残念なことに一度も。でも、もしどこかでまたそんなことをすることがあったとしても、あの時ほど楽しくはないような気がするわ」

「かもしれないな」

それから、秀一はためらいがちに付け加えた。

「聞いてもいいかな」

「なに？」

「あの時、君はすでに秋生を好きになっていたんだろう」

七恵は思わず言葉に詰まった。

「そんなことないわ」

「いいんだよ、今更隠すことなんてないさ。秋生は死んでしまったし、僕たちも別れた」

秀一と秋生はクロールでの競泳を始めた。七恵にはとてもついていけない。それでも、後を追うように泳ぎ続けた。途中、ターンした秀一とすれ違った。すぐに秋生が来た。七恵は横を通り抜ける瞬間、秋生の手が七恵の腕を摑んでいた。不意のことに驚いて、七恵は手足をばたつかせた。それでも秋生は離さない。どころか七恵を引き寄せ、素早く唇を合わせた。何が起きたかはわからなかった。秋生はまたすぐに泳ぎ始め、秀一の後を追っていった。

そのことを秀一は知らない。いや、知らないはずだと思っていた。

「そうね、そうかもしれない」

諦めたように、七恵は答えた。

料理が運ばれてきて、しばらくふたりは無言になった。

「こうして秋生の話をするのは初めてだね」

「そうね」

「もっとしたってよかったのに、どうしてしなかったのだろう。きっと僕の小ささだな。僕たちが付き合い始めたのは、君が秋生と別れて一年以上もたってからなのに、どこかこだわる気持ちが捨てられなかった。何でもない時にふっと、君が秋生と僕を較べているんじゃないかと疑ったりした」

七恵は驚いて秀一を見返した。

「そんなこと一度もないわ」

「わかってる。僕の勝手な気の回しすぎさ」

「私も聞いてもいい？」

「もちろん」

「私と付き合い始めたのは、私が秋生と付き合っていたから？」

「え？」

秀一は驚いたように改めて顔を向けた。

「あなたの、秋生に対する思いが、最後まで私にはうまく理解できなかったわ。言葉にするのは難しいけれど、もし私が秋生と付き合ってなかったら、あなたは私に興味を持たなかったように思えるの」

「まさか」

「どこか不安だった。あなたが私を見る時、いつもそこに秋生を探しているような気がして」

「僕はホモセクシャルじゃないよ」

秀一が冗談めかして言い、七恵は肩をすくめた。

「わかってる」

「秋生は……」

そこで秀一は少し言葉を途切れさせた。

「本当に自由で気儘《きまま》で困った奴だった。だけど、僕にはどうにも目が離せない存在だった」

七恵はまっすぐに秀一を見た。

「コンプレックスなんだろうな、結局。何をどう頑張っても、秋生はいつも僕の前にいるんだ。どうしても乗り越えられない相手だったんだ」

何か言おうとしたが、言葉にすると却《かえ》って秀一を傷つけてしまいそうな気がして、七恵は口を噤《つぐ》んだ。

七恵は離婚の時に秀一から譲り受けた白金の2LDKのマンションに、八歳になる娘の美弥とふたりで暮らしている。

一週間のうち、二日間は父親の経営する貿易会社に顔を出し、あまり仕事とは関係ない父のこまごまとした雑用を引き受けている。三日間はお稽古《けいこ》ごとや友人たちとの付き合いに費やされ、週末はいつも美弥と一緒に過ごす。

毎月、秀一から支払われる養育費と、父の会社の役員として名を連ねているのでそこからの報酬もあり、生活に困るようなことはない。弟がひとりいて、いずれ父の会社を継ぐことになっているが、今は大手の商社に勤めている。

恵まれた生活だと自分でも思う。今のところ差し迫った不安は何もない。実家や秀一に頼り切っている状況に満足しているわけではないが、とにかく今は、美弥を中心に毎日を過ごしたいと思っている。

秀一と会った翌日、趣味として長く続けているビーズ細工の先生から電話が入った。

「悪いけど、またお願いできないかしら」

七恵の母に近い年齢の先生は、いつも少女のような声で話す。

「いつでしょうか？」

「それが明日なのよ。午前十一時から。場所は渋谷のカルチャーセンターなんだけど、大丈夫かしら」

明日は父の会社に行く日でも、美弥が早く帰る日でもない。

「はい、それなら伺えます」

「ああ、よかった。初心者クラスだから、基本形を教えるだけでいいの。じゃあ、あちらには連絡を入れておきますから、よろしくね」

ビーズ細工は結婚と同時に習い始めていて、技術もそれなりに習得した。二年ほど前から、時折、こうして臨時の講師を頼まれるようになった。先生も六十歳を超えて、初心者に一から手ほどきするのが少々億劫《おっくう》になってきたらしい。

渋谷に出るのは久しぶりだ。帰りに、しばらく覗いていないブティックにでも寄ってみようかと考えていた。

じゅん子

じゅん子は事務室の奥の席から、受付のカウンターに立った女を見て「あら」と思った。

確か、秋生の通夜と葬式に来ていた女だ。通夜の時はシックなチャコールグレイのパンツスーツを、葬式の時は見るからに高そうな喪服を着ていた。バッグも靴も高級ブランドで、何といっても首を飾っていた黒真珠が豪華だったことを、よく覚えている。

どうしてここにいるのだろう。新規の入会だろうか。

それにしても、今日もいい服を着ている。一見何気ない白いシャツだが、衿《えり》の開き具合があんなにきれいなのは、きっとどこか有名ブランドの製品に違いない。バッグも時計もエルメスだ。裕福な家庭の奥様を、まさに絵に描いたようだった。

じゅん子は自分では買えないが、ブランド品や宝石についてはかなり詳しい知識を持っている。カルチャーセンターのロビーには、その手の雑誌が何冊も置いてあり、昼休みの時、弁当を食べながら読むのを習慣にしているうちにすっかり詳しくなった。

家でも、新聞に挟まれたチラシは一枚たりとも見過ごさない。もちろん近所のスーパーの特売などは必要にかられてのことだが、自分とは関係ないマンションの売出しや、エステティックサロンや高級外車販売のチラシなども隅から隅まで眺める。そうしてこれは割高だの、この間のチラシに出ていた方が良心的な価格だっただのと呟く。それはすでに趣味のようになっていた。

そんなじゅん子を夫はいつも呆《あき》れたように眺めている。

「どうすることもできないものを、よくそんなに熱心に読めるな」

そのたびにじゅん子は思う。

自分だって、どうすることもできない政治欄を熱心に読み、政治家たちを批判しているではないか。選挙の投票日はいつも釣りかごろ寝と決め込んでいるくせに。

女が立ち去ってから、受付カウンターに座る女の子のところまで尋ねに行くと、ビーズ細工教室の代理講師ということだった。

鹿島七恵、ね。

ノートに記された名前を口の中で呟いた。

いったい佑美や秋生とどんな関係がある女なのだろう。

その時、「稲本さん、ちょっと」と、課長の沢田未知子から声がかかった。

「はい」

じゅん子は顔を向け、課長席に近付いた。

「高瀬さんのことなんだけど、もう初七日も済んだのにまだお休みのままでしょう。ご主人が亡くなったのだからショックはわかるけど、仕事に戻る気があるのかしらね」

「さあ、私もちょっと、そこのところは」

佑美が休んでもう十日になる。

「時間があるようだったら、様子を見にいってみてくれないかしら。昨日、私も電話してみたんだけど、誰も出ないのよ。何だかちょっと心配だし。まさか、後追い自殺なんてことはないと思うけど」

「まさか」

と、一瞬は笑ったものの、通夜と葬式の時の佑美の表情を思い出し、じゅん子もいくらか不安になった。

確かに尋常ではなかった。もちろん夫が死んだのだから尋常でいられるはずはないだろうが、泣き崩れるというよりひどく冷静な、見方によってはまるで覚悟を決めた様子だったように思えなくもない。

「すみません、実は夕方からPTAの会合に行かなくちゃならないので、今日はちょっと」

「そう」

未知子の声にわずかに不機嫌さが混ざり、じゅん子は肩をすくめた。未知子が、どんな場合でも夫や子供を理由にされることを愉快に思わないということは前から知っているのに、つい口から出てしまった。じゅん子は慌てて付け加えた。

「明日、行ってきますから」

「じゃ、お願いね」

短い返事があった。

最近のPTAの会合は、夜に行なわれることが多い。それだけ多くの母親たちが仕事を持っているということだろう。役員を決める時も、上の子の拓巳の時は「働いていますので」でうまく逃げられたが、下の子の厚士の時は「専業主婦だけに押しつけられるのはおかしい」との異議が出て、結局、籤引《くじび》きということになり、アタリを引いてしまった。

子供たちにいつもより早めに夕食を食べさせるため、じゅん子は駅前のマーケットで手早く買物を済ませた。出来合いの惣菜《そうざい》でも、今夜は仕方ない。

PTAの集まりに出席するのは気が重かった。いつものことだが、母親同士の交流というものが、じゅん子はどうにも苦手でならないからだ。

母親になっても、美しさが女の立場を強くすることに変わりはなかった。活発に意見を述べたり、先生方と気楽に冗談を交わし合ったりしている母親たちを見ていると、自分が場違いのところに来ているようで、どうにも落ち着かなくなる。

美しくもなく、お洒落でもなく、裕福でも、何か特別な才能があるわけでもない。そんな女は、結局、明かりの届かない部屋の隅でじっとしているしかないのだろうか。

——あなたの指には表情がある。

ふいに、そのセリフが甦った。

佑美の家に遊びに出掛け、夫の秋生と顔を合わせた時のことだ。

ご主人が家にいるなら、最初からそう言ってくれればいいのに、だったら遠慮したのに、と居心地の悪い思いでじゅん子はテーブルの前に座っていた。佑美はキッチンでコーヒーを沸かしていた。

——マニキュアをすればいいのに。きっとよく似合うと思うな。

社交辞令とわかっていても、今までそんなことなど言われたこともないじゅん子は戸惑って、いったいどういう言葉を返せばいいのかわからず、下ばかり向いていた。

秋生の整った顔立ちは女の気を惹くに十分だった。憂鬱と退屈が同居しているような表情は、どこか投げ遣りではあったが、崩れた感じはしなかった。

佑美がいつも満ち足りた顔をしているのがわかる気がした。こんな安アパートに住み、ろくにお化粧もせず、お洒落とは程遠い格好をしていても、この男と暮らしていれば、そうなって当たり前のように思えた。

秋生に愛撫《あいぶ》される佑美を想像した。そうすると、背骨が甘く崩れていくような感覚があった。部屋のいたるところから不意に、あの時の匂いが立ちのぼってくるように思えて、頬が熱くなった。

秋生とセックスする夢を見たことがある。それも何度もだ。そんな夢を見る自分が恥ずかしかったが、それを待っている自分もいた。夢の中で、秋生はいつもじゅん子の指を一本一本口に含む。うっとりと、その姿をじゅん子は眺めている。

しかし、秋生はもういない。たったひとり、私の指を讃《たた》えてくれた男は死んでしまった。

ドラッグストアの前で、じゅん子は足を止めた。店先に出された籠《かご》の中に、色とりどりのマニキュアが詰め込まれている。夕暮れの光に、それは光沢ある瑪瑙《めのう》のように輝いていた。

じゅん子は自分の指を眺めた。それからしゃがみ込んで、籠の中へと手を伸ばした。

真以子

「産むつもりなの？」

「まだ、わからないわ」

「わからないって、今、何ヵ月なの？」

「十六週を過ぎたところよ」

「で、どうするの」

真以子は自分の口調に、詰問のニュアンスが含まれていることに、さっきからうんざりしていた。

自分がイライラしていることはわかっている。妊娠という、大きな現実に直面しているというのに、産むでもなく産まないでもなく、子供じみた迷いの中で甘えている協子に反発を覚えているからだ。

「真以子ならどうする？」

「そんな質問してどうなるっていうの。妊娠してるのは協子でしょう」

「そうだけど……」

協子が足元に目を落とした。

天井に近い本棚の上でミィが気持ちよさそうに眠っている。人見知りの激しいミィは、来客があるといつもこの場所に逃げ込む。客の姿が確認できて、手の届かない安全なそこに登れば、安心して眠ってしまう。

嫉妬かもしれない、と真以子は冷静に思った。確かにどこかで羨んでいる。だからこんなにイライラしているのだ。ただその羨みの原因が、妊娠という事実に対してなのか、妊娠しているのが秋生の子であるということに対してなのか、それともまったく別の理由なのか、判断はつきかねた。

真以子は舌の奥に広がる苦いものを飲み込んで、いくらか声を和《やわ》らげた。

「どうするなんて、私にはわからないけど、自分の三十七歳という年齢を考えたら、子供を産むチャンスは最後かもしれないという思いはあるわ」

協子が頷く。

「そうね、たぶん最後だと、私も思うわ」

「秋生は妊娠のこと、知ってたの？」

「いいえ、話そうとしたその日に、あんなことになったから」

協子の眼差しに無機質なものが漂った。彼女が今も、秋生の死を受け入れられないでいるのがわかる。

「答えたくなかったら、答えなくてもいいんだけど」

目の前のすっかり冷めたコーヒーに真以子は手を伸ばした。協子は手をつけていない。

たぶん無意識なのだろうが刺激物を摂らないようにしている、そう考えればもう決心はついているようにも思える。

「なに?」

「秋生はなぜ死んだの?」

協子の目にざわざわと恐怖に似た翳《かげ》りが浮かび、それから身体がわずかに前のめりになった。

「あれは」

言ったきり、しばらく言葉が続かなかった。探しても言葉を見つけられないのだろう。

「ごめんなさい。いいの、聞く方が無神経だったわ」

しかし、協子は唐突に話し始めた。

「道路の向こうに秋生がいたの。待ち合わせていたのよ、私たち。もう少し先に行けば横断歩道があるから、私はそこを渡ってそっちに行くって合図したの。なのに秋生は首を振って、車道に出てきたわ。そうして何の躊躇《ちゆうちよ》もなく、乗用車やトラックが往来する道を渡り始めたの。私、叫んだわ。危ないって。でも秋生は怖がるふうでもなく、むしろ楽しそうな顔をして渡り始めたの。本当に、とても幸せそうに笑って……」

「どうしてそんなこと。酔ってたの?」

「いいえ、それはないってお医者さんも言ってたわ」

「じゃあ、どうして」

「私にもわからない」

真以子は秋生を思い浮かべた。もう何年も思い出すことのなかった秋生の顔。もしかしたら一生思い出さずに済んだかもしれない顔。

秋生はとても美しい顔をしていたが、学生時代から、その表情には翳りのようなものがつきまとっていた。

秋生が死んだと、最初に協子から連絡が入った時、真以子は自分の胸の中を冷たくよぎった予感めいたもののことを思った。

今、自分と同じことを協子も考えているのではないかと、真以子は感じた。

秋生ならやりかねない。今までそうしなかったことが、むしろ不思議なくらいだ。それが似合いの、それを選ぶのが当然のような思いを抱かせる男だった。

緩《ゆる》やかな、果てしなく緩やかな、自らの死。

協子

産婦人科の待合室は残酷な場所だな、と協子は診察の順番を待ちながら考えていた。

ここでは、幸と不幸が同席している。

妊娠が、すべての女にとって喜ばしい出来事とは限らない。妊娠そのものが不幸な女もいるし、不幸な妊娠をしている女もいるだろう。妊娠などまったく関係のない病気の場合もあるだろうし、妊娠を望んでの通院ということもあるかもしれない。そんな女たちが、ひとつの待合室の中で、それぞれの思いを抱えながら順番を待っている。

協子の隣の椅子には、せり出したお腹を抱えた妊婦が、育児の本を熱心に読んでいる。チェックのジャンパースカート形のマタニティドレスと、白いソックスにぺたんこ靴、足元には大きめのトートバッグが置いてある。

それはいかにも妊婦らしい格好だったが、そのあまりにもありふれた姿に、協子の気持ちは却って逆撫《さかな》でされた。

協子より十歳は年下に見えた。もしかしたらもっと若いのかもしれない。化粧気のない顔に色つきリップクリームを塗っている。左手薬指に、プラチナのシンプルなリングが少し窮屈そうにはめられている。

望まれ、期待され、喜ばれての出産なのだろう。妊婦の表情も穏やかで、どこか自慢げにさえ見える。

協子の迷いはまだ続いていた。

産むか、産まないか。

妊娠がわかってから、同じところをぐるぐる回り続けていた。

産むとしたら、両親にはどう打ち明ければよいだろう。兄たちはどう思うだろう。会社にはどう告げればいいのだろう。近所や世間からはどう見られるだろう。自分ひとりで子供を育てることなどできるのだろうか。もし、子供が大きくなって何かトラブルを起こしたら、たとえばいじめるとかいじめられるとか、グレるとか引きこもるとか、売春するとか誰かを殺したりとか、世の中で問題になっているような子になったらどうすればいいのだろう。

そんなことを考え始めると、責任という言葉が、想像以上の重さで協子をいたたまれなくする。

引き返すなら今だ。今なら、元の生活に戻れる。両親と暮らし、会社に行き、余った時間で習いごとをしたり、好きな映画や芝居を観に出掛けたり、まとめて休みが取れる時は海外旅行を楽しんだりする。

今の生活に百パーセント満足しているわけではなく、さまざまな不満がいつもあって、急に腹が立ったりイライラしたり、時には将来や老後のことを考えてうんざりするような憂鬱に包まれることもある。けれどこうなってみると、何て気楽に過ごしていたのだろうと、改めて感じる。結局、なんだかんだ言っても、すべては自分を中心に考えればよかった。けれども子供を持てばそうはいかない。自分の人生以上に、子供の人生を考えなければならない。

やっぱり無理だ、とても自分にはできない。

そうなら、処置は早めに……。

そう思ったとたん、すでに後悔が始まるのだった。

子供を持つには最後のチャンスだろう。四十代半ばでの初産の話も聞くが、それまでに男と出会い、愛しさを深め、結婚して、健康に妊娠し出産する、という過程は果てしなく遠いことのように思えた。それにもし、子供を持つ人生を考えるなら、秋生の子であることはこの上もなく幸運なことのようにも感じられた。

学生時代、本当に好きだった。唐突に姿を消してからも、秋生を忘れることができなかった。あれから誰と出会っても、誰と唇を重ねても、どこかで秋生の姿を追い求めていたような気がする。

再会し、再び関係を持った時は夢を見ているような気持ちだった。ほんの短い時間でしかなかったが、失ったものを取り返すような濃密な時間だった。

秋生を愛していた、とはっきりと言える。いや、今も愛している。その秋生を失った時、自分も生きていけないという喪失感に包まれた。死にたい、と思った。

それでも、生きている。まだ足元はふらついているが、息をし、食事をし、生活している。こうしていられるのは、もしかしたらこの子がいてくれるからかもしれない。

世の中には、自らシングルマザーを選ぶ女性もいるではないか。離婚をし、ひとりで子供を育てている女性もいる。事故や病気で夫を失う場合もあるだろう。

自分ができないのは、結局、意気地がないからだ。自分はいつもそうだ。誉《ほ》めてくれる誰か、励ましてくれる誰か、守ってくれる誰かがいなければ何もできない。依存心が強くて、自分の意志の在処《ありか》を自分ではっきりと認識することができず、みんながいいと言うから、そうすれば丸く収まるから、そんな生き方しかしてこなかった。

「何ヵ月ですか？」

不意に、隣の妊婦に声をかけられた。

「えっ、ああ、そろそろ四ヵ月です」

咄嗟《とっさ》に答えていた。

「じゃあ、悪阻《つわり》が大変なんじゃないですか」

「それが、あまりないみたいで」

そんな答えを躊躇なく口にしている自分が不思議だった。

「生まれる前から親孝行な赤ちゃんなんですね。私なんか三ヵ月に入る前から始まって、七ヵ月を過ぎても続いたんですよ。体重も増えなくて、先生に食べろ食べろってずっと言われても、すぐ戻しちゃって。それが、最近になってものすごい食欲が出てきて、今じゃ太りすぎないようにって注意を受けるくらいなんです」

そう言って、妊婦は無邪気に笑った。

突き出たお腹に協子は目をやった。

「予定日はいつですか」

「あと二ヵ月ぐらいです」

妊婦が自分のお腹を、愛しそうに撫で回した。

「元気な子が生まれてくれればいいなって、今はそれだけなんです」

「ええ」

「正直言うと、私、最初は産むつもりなかったんです」

唐突に言われて、協子は思わず彼女を見つめ直した。

「まだ結婚していなかったし、結婚できるとも思ってなかったから」

何て答えればいいのかわからない。

「堕ろそうと思ったのだけど、それも怖くて迷っているうちに、ひどい悪阻《つわり》になって、家族にバレてしまったんです。もしかしたら、この子の抵抗だったのかもしれないなぁと思ったんです。絶対に生まれてやるっていうような。そう思うと、もう産むしかないような気になって」

「それでご結婚は？」

「ええ、半年前に」

「よかったですね」

「おかげさまで」

肩をすくめるように笑ってから、彼女は協子を見て、ちょっと困惑したような表情をした。

産婦人科という場所が、すべて共通した思いを抱えているわけではないということに、ようやく気付いたようだった。

「ごめんなさい、私ったらひとりでお喋《しゃべ》りしてしまって」

「元気な赤ちゃんが生まれるといいですね」

「ありがとうございます」

看護師が協子の名を呼び、ホッとしたように「じゃあお先に」と軽く頭を下げて、協子は診察室へと入った。

幸せとはきっとああいうことをいうのだろう。妊婦の突き出たお腹のように、つるんと丸く、抵抗のない形をしている。協子は自分のお腹に手を置いた。何も変わらない。この下に、自分の人生を大きく変えるかもしれない生きものがいるなんて信じられない。

超音波の映像に、影が見えた。

医者が「ここが手、ここが頭」と指差すのだが、輪郭が曖昧《あいまい》でよくわからない。それでも力強く動く心臓だけははっきりと見てとれた。

「元気だなぁ」

医者が感心したように言った。きっと誰にでもそう言うのだ、そうやって安心させるのだ、と自分に言い聞かせながらも、協子はやはり嬉しさを隠しきれなかった。自分の顔がほころんでいる。眉間《みけん》や唇から力が抜けて、今はきっとどうにも間の抜けた顔をしているだろう。

「順調ですよ。何も問題はありません」

と、医者から言われ、ありがとうございます、と答えていた。

自分は今まで、ひとりで決めてきたことなど何もなかった。ずっと誰かに、何かに守られてきた。そうして、守られるのが当たり前のように思っていた。

もう今は、自分を守ってくれるものは何もない。

——守るものがあるということは、守られているということさ。

ずっと前に、秋生が言った言葉が不意に甦った。

あの時、自分のことを言われたと信じて、協子は息苦しいほどの幸福に満たされた。

もう秋生はいない。心を託せるような友人もいなくなった。両親もまた年老いてしまった。

もしかしたら生まれてくるこの子が、自分を守る存在になってくれるのかもしれない。

そう思った時にはもう、迷いは胸の中から消えていた。

超音波の画像の中の、とくんとくんと動き続ける心臓を眺めながら、これから始まるであろうさまざまな波風のことは、今はまだ考えないでおこうと思った。

佑美

佑美は向かい側に座る秋生の兄の手を見つめていた。

膝の上で堅く結ばれている拳《こぶし》の、中指の関節だけがやけに飛び出ているところや、甲に薄く透けて見える血管が、秋生とそっくりだった。

昨日、電話があり、伺ってよいかと尋ねられた。断る理由などなかった。初七日が済んでから誰とも会うこともなく、アパートの中で膝を抱え、背を丸めて惚《ほう》けたように暮らしていて、どこか人恋しい気持ちもあった。

「お待ちしています」

と答えた。

律儀に、約束した三時ぴったりに秋生の兄は現われた。

テーブルの上の緑茶を半分ほど口にして、彼は尋ねた。

「これから、どうなさるおつもりですか」

佑美は手から目が離せないまま答えた。

「まだ、何も考えてなくて」

「秋生がどんな生き方をしていようと、自分で始末をつければいいことだと放っておきました。秋生は本当に好きに生きて、勝手に死んでしまった。私はそのことは仕方ないことだと諦めています。ただ、あなたを巻き込んでしまったことは、心から申し訳ないと思っているんです」

ようやく佑美はその手から視線をはずし、秋生の兄を見た。

「いいえ、私が勝手に秋生さんについてきたんです。どうか謝ったりしないでください。何だか間違ったことをしたと言われているような気になってしまいます。そう思われるのがいちばんつらいんです」

秋生の兄が目を伏せる。

「秋生さんがいなければ、私は生きていられませんでした。今も、正直言って、秋生さんのいない人生を生きていけるのか自信はありません。本当にどうすればいいのか、まだ何もわからないんです」

「あなたはまだ若い」

秋生の兄の声に、困惑のようなものが含まれている。

「十分にやり直せる」

「そうでしょうか」

「新しい誰かと知り合って、結婚することもできるんですから」

「もし、新しい誰かと知り合って、結婚することがやり直すということなら、私はやり直せなくてもいいと思ってます」

秋生の兄はしばらく黙った。

佑美は茶碗を下げ、煎茶《せんちゃ》を淹《い》れ替えた。

「実家がおありになるんでしょう」

急須に湯を注ぐ佑美に向かって、秋生の兄が尋ねた。

「ええ、まあ」

茶碗をテーブルに置き「どうぞ」と勧める。

「そちらに戻ることはできないんですか」

佑美はゆっくりと首を横に振った。

「今度のことで連絡は？」

同じ仕草を繰り返した。

「さぞかし、ご両親も心配していらっしゃるでしょう」

佑美は再び秋生の兄の手を見た。髪を撫でてくれた秋生の手。涙を拭《ぬぐ》ってくれた秋生の手。指が長くて、骨張っていて、触られると溶けてしまいそうにいつも熱い手をしていた。

「実は今日伺ったのは、秋生の保険が下りたからなんです」

秋生の兄は静かな口調で言って、封筒を胸ポケットから取り出した。

「これを」

佑美は封筒に目をやった。

「籍は入っていなくても、夫婦同然に暮らしてきたのですから、あなたに受け取っていただけたらと思いまして、持参しました」

テーブルに置かれた封筒は思いがけない厚みがあって、何万円や何十万円ではないということがわかる。

「どうか納めてください」

秋生の兄の声に、皮肉や嫌味は少しも感じられなかった。むしろ、金を渡すということの不粋《ぶすい》さを、恥じているように見えた。

黙っていれば保険金のことなどわからなかったろうに。知らんぷりを通せばそれで済んだことだろうに。いい人なのだと、胸の中が温かくなった。

「私なんて、受け取れる立場じゃありません」

「通夜も葬式も、あなたが出された。いろいろと物入りだったはずです」

「みなさんから、お香典をいただきました」

「秋生がまだ家にいた頃の保険なので、遠慮されるほどの金額ではありません。これぐらいのことしかできなくて、心苦しいくらいです」

佑美は封筒を眺めた。それから、財布の中身と、引き出しにしまってある通帳に並ぶ数字のことを思った。もしかしたら、とても恥ずかしいことをしようとしているのかもしれない、と思いながら、佑美は頭を下げた。

「正直言って、助かります。パートもずっと休んでいてほとんど収入がない状態でした。ここの家賃、どうしようかと思ってたところだったんです」

　秋生の兄は眉を顰《ひそ》めた。

「もしかしたら、秋生はあなたに食わせてもらっていたのですか」

「そういうのではなくて、最近、ちょっと仕事がうまくいってなかっただけです。たくさんお金を持ってきてくれた時もありますから」

「まともな仕事には、最後まで就いてなかったんですね。あなたを働かせて、自分はのんべんだらりと暮らしていたんだ。ヒモじゃないか、まったくあいつは」

　怒りが、秋生の兄の顔に満ちていく。

「そういう言い方をしないでください」

「言い方を変えても、やっていることは同じです」

「私と秋生さんのことを、世間の人がどんなふうに呼んでも構いません。でも、せめてお兄さんにはわかってもらいたいんです。秋生さんは私を利用しようとしたことなど一度もありません。どんな形であろうと、秋生さんと暮らせて、私は本当に幸せだったんです」

　秋生の兄は再び黙り込んだ。

そろそろ夕暮れが近付いている。いつもなら窓から長く差し込んでくるはずの日差しが、今日はない。そのことに気付いて顔を向けると、ガラス窓にいくつもの水滴が散っていた。

「雨が」

佑美が呟くと、秋生の兄は身体を捻《ひね》るようにして窓を眺めた。

「ああ、本当だ」

それがきっかけのように、秋生の兄は話を切り上げた。

「今更、何を言っても始まりません。あなたがそれでよかったと言うのであれば、私はもう何も言うことはありません。とにかく、お渡しできてよかった。では、これで」

そう言って腰を上げ、玄関に向かった。

佑美は慌てて立ち上がり、見送りに後を追った。

玄関で靴を履く後ろ姿を、佑美は眺めた。またひとつ、秋生と同じものを見つけてしまった。うなじの生え際に小さなつむじがある。

秋生の兄が靴を履き終え、振り返った。

佑美は改めて顔を向けた。

「傘はお持ちですか」

「いや、持ってないですが、まだ本降りというわけではないし、走ればすぐですから」

「じゃあ、駅までお送りします。うちには傘が一本しかないので、お貸しすることができなくて」

「いえ、結構ですから。どうぞお気遣いなく」

「私が行きたいんです。ちょっと待ってください」

佑美は慌てて部屋に鍵を取りに戻り、それから玄関でサンダルを引っかけた。


駅に続く商店街は、店頭の商品を引っ込めたり、ビニールをかけたりと、慌ただしく人が動き回っていた。その中を、自分の兄と並んで傘に入って歩く姿を秋生が見たらどう思うだろう。そんなことをふと思い、肩をすくめたいような気持ちになった。

「私、結婚してたんです」

「え……」

「秋生さんと会う前のことです」

秋生の兄が一瞬、緊張したのがわかった。

「父が病院をやっていて、ずっと長女の私が跡を継ぐのは当たり前のように思っていました。だから、医者でうちに養子に入ってくれる人と結婚したんです」

秋生の兄は黙ったままでいる。

「夫とは、父の友人の大学教授の紹介で会いました。医者として優秀で、礼儀正しくて、細やかな気配りのできる人で、私も両親も彼のことがとても気に入って、半年もたたないうちに式を挙げました。両親の家から車で十分くらいの場所にマンションを買ってもらって、そこで暮らし始めたんです。半年ほどは、とても幸せでした」

秋生の兄の戸惑いが、時々触れる腕に伝わってくる。なぜ、そんなことを唐突に話し始めたのか理解できないのだろう。佑美自身も、話している自分をうまく説明できなかった。ただ、秋生がいなくなってしまった今、誰かに自分を知っておいて欲しいという気持ちがあった。

「理由が何だったか、今も思い出せないんですけど、つまり思い出せないくらいささいなことだったと思うんですけど、突然、夫がものすごい勢いで怒りだして、私を殴ったんです。一回じゃありません。平手で、何度も何度も、殴ったんです」

あの時の夫の顔を思い出し、佑美は思わず身震いした。

「夫は、両親や患者の前では本当にいい人でした。仕事も熱心だし、まじめだし。でも養子ということがやはりどこかプレッシャーだったのかもしれません。その日を境に、気に食わないことがあると、夫は有無を言わせず私を殴るようになったんです」

「そのこと、ご両親には？」

「何度も打ち明けようと思ったのですが、どうしてもできませんでした」

「なぜ」

「父の期待を知っていたからです。本当に、父の期待通りの人で、これで我が家も安泰だと、何度も言われてましたから」

「そうですか」

「さすがに顔は痕《あと》が見えるのでまずいと思ったらしくて、やがて夫は身体を殴るようになりました。あの頃、身体中、内出血の痣《あざ》だらけでした。肋骨《ろっこつ》にヒビが入ったこともあるんです」

「ひどいな……」

「それでも最後にはいつも、夫は泣いて謝るんです。とても優しく傷の手当をしてくれるんです。時には、抱えきれないほどの花を持って帰ってくることもありました。そうされるとやっぱり嬉しいし、本当は悪い人じゃないんだって思えました。殴られるのは私がいたらないせいなのだから、もっと努力しなくてはと反省しました。ただ、夫婦でするべきことがもう、私にはできなくなっていたんです」

佑美はそこでいったん言葉を途切れさせた。けれども、すぐに息を軽く吸い込んで、口にした。

「セックスを強要されるのも暴力でした。いいえ、私には強姦としか思えなかった。三年、我慢しました。それが限界でした」

秋生の兄はまっすぐに前を見ている。少し、温度が上がったように思えた。雨のせいで慌ただしさの増した商店街の中で、この傘の中だけは別の世界のように静まり返っていた。

「秋生とはどこで?」

「きっと信じてもらえないと思います」

顔を向けるのが目の端に見えた。

「会ったのは、家を出たその日です。死ぬしかないように思えて、でもどうやって死ねばいいのかもわからなくて、表参道の歩道橋の上に立っていたら、声をかけられたんです」

「何て?」

「一緒に死んであげようかって」

あの時のことは、今も鮮明に思い出すことができる。秋生が自分と同じ目をしていることに、佑美はすぐに気付いた。

「でもその前に、せっかくだから何かおいしいものでも食べようって、言ったんです。それで一緒に近くのラーメン屋さんに入って、それから六年も一緒に暮らすことになりました」

駅が見えてきた。電車が着いたばかりなのか、出入口から大勢の人が吐き出されてくる。突然の雨に、みな一様に空を見上げている。

「秋生さんを恨んでいるとしたら、ひとつだけ。一緒に死んでくれるって言ったのに、先にひとりで逝《い》ってしまったこと」

秋生の兄が足を止めた。

「ありがとうございました、おかげで濡れずに済みました」

けれども、スーツの右肩はすっかり色が変わってしまっている。佑美が濡れないよう気遣ってくれていたのだとわかる。

「本当に、ご両親のところには戻らないのですか」

「ええ」

「そうですか。これからひとりで大変でしょうが、どうかお元気で」

「ありがとうございます」

挨拶を交わすと、秋生の兄は背を向けて、自動券売機に切符を買いに行った。それから改札口へと向かったが、切符を入れる手を止めると足早に佑美の前に戻ってきて、慌ただしい仕草でスーツの胸ポケットから名刺を差し出した。

「何かあったら、いつでも連絡してください。携帯電話の番号も入ってますから」

そう言って、名刺を押しつけるように渡すと、今度こそ改札口に向かっていった。

佑美は名刺に目を落とした。

高瀬広宗《ひろむね》。

初めて名前を知った。顔を上げたが、その姿はもうどこにも見えなかった。

じゅん子

じゅん子は佑美と男の様子を眺めていた。

あれは確か秋生の葬式に来ていた男だ。どういう関係かはわからないが、どことなく秋生に似た雰囲気がないでもない。もしかしたら親戚かもしれない。

考えてみれば、あの葬式はひどく不自然なものだった。親族は佑美ひとり、親も兄弟もいなかった。もしかしたら駈け落ちでもしてきたのかもしれない。だとしたら親族を呼べないこともあるだろう。確かに、秋生という男にはそういうことをしても少しも不自然ではない雰囲気があった。

男が改札を抜け、それを見送っていた佑美が階段を下り始めた。じゅん子は慌てて追いかけた。

「高瀬さん」

声をかけると、佑美が振り向いた。

「あら」

「ごめんなさい、突然。たまたま姿を見かけたものだから」

「どうしたんですか？」

「沢田課長から頼まれたのよ。ずっとお休みのままでしょう。これからどうするのか聞いてきてくれって。ねえ、ちょっとお茶でもどう？」

「はい」

佑美が頷き、ふたりは駅前のコーヒースタンドに入ると、小さなテーブルを間にして向かい合った。

「すみません、勝手に長い間、お休みしてしまって」

佑美がカプチーノのカップを前にして、小さく頭を下げた。もともと華奢だったが、肩のラインがひどく細くて、すっかり痩せてしまったとわかる。

「ううん、そんなことはいいのよ、ご主人があんなことになったんだもの、仕事なんて手につく状態じゃないのは当たり前だわ。どう？　少しは落ち着いた？」

「何だか、毎日ぼんやりしてばかりで」

じゅん子は頷く。

「そうよね、そうなって当然よね」

それから、いくらか気が咎《とが》めながら付け加えた。

「本当に、こんな時に言いにくいんだけど、あんまり長く休んでると、他の人を雇い入れられてしまうってことがあると思うの。私たち、所詮《しょせん》パートでしょ。だから、大変だろうけれど、出てこられないかなと思って。ご主人も亡くなって、これからの生活のことなんかもあるだろうし」

佑美があまり焦点の定まらない目を向けた。

「さっき保険金が入ったんです」

「あら」

じゅん子は思わず身を乗り出した。いくら？　と聞きたかったが、それはあまりに立ち入りすぎだと自制した。

「よかったじゃない」

言ってから、慌てて口を押さえた。

「やだわ、よかったってことはないわよね、ごめんなさい。それがあるなら、しばらくは生活の心配はないのね。じゃあ沢田課長には何て言っておく？」

「今は、とても仕事ができる状態じゃないので、勝手をして申し訳ないんですけど、辞めさせてもらおうと思ってます。沢田課長には明日にでも連絡しておきます」

「そう」

じゅん子はコーヒーをすすった。

頭の中では、働かなくても生活ができるだけの金というのは、いったいいくらぐらいだろうと考えていた。

帰り道、どこか肩透かしをくらったような気持ちで歩いていた。

夫を失った佑美に対して、せっかく溢れんばかりの同情を込めて訪ねていったのに、ひどく無駄なことをしてしまったような感じだった。

保険金っていくらだろう、と、電車に揺られながら考えた。

じゅん子も、もしもの時のために、夫の達郎名義で掛け捨ての共済保険に入っている。死亡時は、確か、二千万だ。

二千万円。

けれど、それはすべて家のローン返済に充《あ》てられることになるだろう。

ただ、退職金は出るはずだし、もし死亡原因が事故なら賠償金もあるかもしれない。拓巳と厚士が大学を卒業するまで、親子三人何とか暮らしていけるだけのものはちゃんと手に入るだろうか。

そんなことを考えている自分に気付いて、思わず首を振った。

達郎が死ぬなんてとんでもない。どんなことがあっても、死んでしまわれたりしたら困る。

お金のことなど問題ではなかった。それよりも、達郎という夫を失うことによって、妻としての自分の立場もなくしてしまうことの方が、じゅん子には空恐ろしく思えた。

夫がいなくなった後、子供をふたり抱えた、美しいとはとても言えない女など誰が相手にするだろう。もし近付いてくる男がいるとすれば、金目当てに決まっている。

夫の達郎は自分には上出来の男だ。見栄えも悪くないし、まじめだし、少し無愛想なところはあるが妻にも子供らにも優しい。賭事《かけごと》に溺《おぼ》れるわけでもなく、酒好きでもなく、いくらか女にうつつを抜かすところはあるが、家庭を壊すほどのものではない。達郎のような夫は、きっともう二度と現われない。

世の中には、○○さんの奥さんと呼ばれたり、○○ちゃんのお母さんと呼ばれることに、強い反発を感じる女たちがいるらしい。そう呼ばれるたびに自分がなくなってしまったような、まるで付属品になってしまったような、憂鬱な気分になるそうだ。PTAの集まりなどで、時折そんなことが話題に上る。同意を求められれば、じゅん子ももっともだと頷いてはいるが、内心ではどうにも理解できずにいた。

初めて奥さんと呼ばれた時のことを今もよく覚えている。結婚式の式場で世話をしてくれた係の女性だった。あまりに嬉しくて涙ぐみそうになった。達郎とひとつになれたような気がした。今でもそれは少しも変わらず、奥さんという言葉の響きを耳にすると穏やかな幸福感に満たされる。ましてや「お母さん」と呼ばれればもっとそう思う。

お母さんにずっとなりたかった。拓巳や厚士からそう呼ばれるたび、ふたりを守れるのは自分しかいないという気持ちになり、いっそう愛しく思えてくる。

奥さんであることも、お母さんであることも、自分で選んだ。そうでない人生など、今更考えられない。自分にはもったいないぐらいだと思っている。

電車を降りて、駅前の商店街で夕飯の買物をした。

ここのところ、達郎は残業が続いていて、たいがい会社で出る夜食を食べて帰ってくる。いつも子供たちのメニューとは別に、一品、達郎のために用意するようにしているので、それがないだけでも、結構、食費は助かるものだ。ただ、不況のせいで、残業はしても手当はほとんどつかず、そうそう喜んでいるわけにもいかないのが実情だ。

八百屋の店先に並ぶ野菜を、家の冷蔵庫にあるものと照らし合わせながら覗き込んでいると、不意に声をかけられた。

「こんばんは」

振り向くと、衿が伸びたポロシャツに、膝の出たコットンパンツ姿の谷山が立っていた。男にしては小柄で、頭頂部の髪がかなり薄くなっている。

「こんばんは。今、お帰りですか」

じゅん子は挨拶を返した。

谷山は、厚士と同じクラスの谷山道也の父親である。

「はい。あの、この間はどうもありがとうございました」

谷山が改まった様子で頭を下げた。

「あら、いいんですよ、あんなことぐらい」

「おかげで、助かりました」

先日、PTAの定例行事である廃品回収があり、その世話役にあたっていた谷山が仕事の都合で出られなくなり、代役をじゅん子が引き受けたのだ。

「今度、稲本さんの時は、必ず僕が代わりますから」

谷山のぶらさげているコンビニのビニール袋の中に、弁当が二個入っているのが透けている。

「いいんですって、そんなこと気になさらないでください」

「すみません。じゃまた」

商店街を抜けていく谷山の後ろ姿を、じゅん子はしばらく眺めた。

噂で聞いたのだが、谷山の妻は二年ほど前、パート先で知り合った男と駈け落ちしたらしい。それ以来、父子家庭を続けているのだが、仕事と家事それに育児と、ひとりですべての役をこなしているだけあって、さすがに疲れ気味に見えた。

妻に去られた男の姿というのは、どこか煤《すす》けて見えるものだ。不潔感というのとは違っていて、時折、存在そのものの輪郭がはっきりしなくなる。それは谷山の息子である道也も同じで、時折、うちに遊びに来る時の様子を見ていても、あまり子供らしい無邪気さや覇気が感じられない。

谷山の妻のことは知らないし、夫婦がどういった状況だったかももちろん知らないが、コンビニ弁当で食事を済ます夫と息子を見たら、元の妻は何と思うだろう。胸が痛んだり、罪の意識に苛《さいな》まれたりしないのだろうか。妻や母より、女で生きることの方が、そんなにも価値があることなのだろうか。

家に帰って夕食の準備をしていると、厚士がプリントを持ってきた。

「遠足だって」

「あら、よかったわね。テーブルの上に置いといて」

「ケーブルカーにも乗るんだよ」

「へえ、すごいじゃない」

遠足といえば、すぐに弁当のことを考える。弁当作りはじゅん子の楽しみでもあった。遠足や運動会となると、何日も前から献立を考え、その日は朝早くから用意に取りかかる。

可愛らしくて、色とりどりの弁当は、小さい時からじゅん子の憧れだった。クラスメートたちが赤いタコのウィンナーや、ぎざぎざに切った茹《ゆ》で卵や、ふりかけの混ざったおにぎりを持ってくるのを見るたび、羨ましくてしょうがなかった。

じゅん子が小学生の頃、母親はもういなかった。祖母が作ってくれる弁当は、味は悪くはないのだが、どうにも年寄り臭く、牛蒡《ごぼう》や里芋《さといも》やこんにゃくといった土色をしたおかずが弁当箱の中に詰まっているのを見ると、悲しい気持ちになった。

それでも、不満を口にすることはできなかった。祖母がじゅん子を可愛がってくれているのは十分にわかっていたし、そんなことを言えば祖母がどんなに傷つくか、幼いなりの気遣いも持っていた。

おにぎりにしようか、サンドイッチにしようか。それとも、茶巾《ちゃきん》寿司でも作ろうか。

そんなことを考えていると、ふと、谷山のことを思った。

谷山はどうするつもりだろう。

春の運動会の時もコンビニの弁当を持ってきていた。今回もそれで済ませるつもりだろうか。友達に見られたくなくて、クラスメートたちと離れた場所でこっそりビニール袋を開く道也の姿が、あの頃の自分と重なった。

「厚士」

拓巳とテレビゲームに夢中になっている厚士に声をかけた。

「なに？」

「道也くんの分もお弁当作ってあげようか」

「どうして？」

テレビに目を向けたまま、厚士が尋ねた。

「厚士も知ってるでしょう。道也くん、お父さんとふたりで暮らしてるから、お弁当とか作るの大変なの。ひとつ作るのもふたつ作るのも、お母さん、大して変わりないから」

「ふうん」

「明日、道也くんに聞いてみて」

「わかった」

谷山の妻は、綺麗な人だったと聞いている。

『ほら、失礼だけど、谷山さんってどう誉めようにも、ああいう人じゃない。サエないっていうか、ダサいっていうか。どうしてあんな綺麗な人が谷山さんと結婚したのかしらって、みんな言ってたのよ。そしたら、案の定、あんなことになっちゃって』

男を作って飛び出すのも当然だ、ということらしい。

じゅん子の母も美しい人だった。

母はしょっちゅう三面鏡の前に座り、自分の顔を眺めていた。

母の背中越しに、鏡に映る母の顔を覗き込むと、向き合って見る顔と違って、口元の右側にある小さなホクロが反対側についていて、じゅん子はいつも不思議に思った。左右が逆の母の顔は、確かに母ではあるのだが、ぜんぜん知らない誰かのようにも見えた。

母から愛されていないことは、物心ついた頃から感じていた。それはじゅん子が美しい娘ではないからだ。声や指の形は呆れるほどそっくりなのに、顔だけはどういうわけか似ても似つかないのだった。

「私のせいだって顔しないで」

母は時々そう言って、眉を顰《ひそ》めてじゅん子から目をそむけた。

じゅん子が五歳の時、母は離婚し、じゅん子を連れて実家に戻った。父親のことはほとんど覚えていない。ただ、いつも臭い息をしていて、酔うと大声を上げ、時には母やじゅん子を殴った。じゅん子も父親が大嫌いだったので、母の実家に連れて帰られた時は心からホッとした。

それからしばらくして、母はいなくなった。男のところに行ったということだった。それがどういうことなのか、その頃のじゅん子にはわからなかったが、母に捨てられたということだけは理解していた。

じゅん子は、母の三面鏡の前に座って、自分の顔を眺めた。

もし自分が母に似て美しい女の子だったら、置き去りになどされなかったに違いない。すべてはこの醜さがいけないんだ。

その思いはずいぶんと長い間、じゅん子の胸に留まった。美しくないのは自分の責任ではない、と何度も自分に言い聞かせたが、それは少しも説得力を持たなかった。

小学生の頃、マスクを手放せなかった自分のことをよく覚えている。どこに行くにもいつもマスクをかけていた。どんなに祖父や祖母に止められてもきかなかった。学校の友人には、アレルギーがあるからとわけのわからない言い訳をしていた。食事の時は辛《かろ》うじて顎《あご》まで下ろすが、マスクをしていなければ、自分の罪が見つかってしまうような恐怖感があった。

　中学に入るに当たって、さすがにこのままではまともな生活が送れないと思ったのか、祖母が一枚の写真を見せた。

　そこには知らない女の人が写っていた。二十歳ぐらいだろうか。地味なワンピースに、センスの悪い髪型をしていた。何となく懐かしい感じがしたが、親戚の人でも近所のお姉さんでもない。

「これがあんたのお母さんよ」

　と言われてびっくりした。

　あの美しい母は実の母親ではなかったのか。だからあんなに嫌われていたのか。写真の女の人は、そういえば、一重の目や丸い鼻や少々受け口のところが、じゅん子にそっくりだった。

「ううん、あのお母さんだよ。別人のように見えるけど、そうなんだよ。お母さんは本当はこんな顔をしてたんだ。わかるかい、結婚前に整形手術をしたんだよ。こんなこと、あんたに教えていいものか迷ったんだけど、あんたが自分の顔をあんまり嫌がってるのを見てると、いつかはお母さんと同じことをするんじゃないかと、何だか、やりきれなくてね。いいかい、顔だけ綺麗にしたって、少しも幸せになんかなれないんだからね。お母さんを見てたらわかるだろう。本当に愚かな子だよ」

そう言って、祖母は声を詰まらせた。

じゅん子はぼんやり写真を眺めていた。

確かに、口元の右側にあるホクロは母のものだった。

母は私の醜さを嫌っていたのではなく、自分の醜さを嫌っていたのだ。私という娘は、まるで母の前科のような存在だったのだ。母は、母自身から逃げ出した。

母に捨てられたという感覚は、その時からなくなった。

整形することもなく、じゅん子は達郎という夫を手に入れた。

美しくなくても、十分に幸福になれる。そのことを、三面鏡の前に座っていた母に言ってやりたいと、今、思う。


今夜も、達郎は疲れた様子で十二時少し前に帰ってきた。

「大丈夫？　毎日こんなんじゃ身体が参っちゃうんじゃないの」

「かもしれないな」

「お風呂は？」

「いや、いい」

達郎はパジャマに着替えると、じゅん子と向き合うこともなく、布団の中に潜り込んだ。

じゅん子は小さく息を吐き、いくらか恨めしい気分で、夫の脱ぎ捨てたスーツやシャツを拾い集めた。

もうずいぶんセックスをしていない。背骨の付け根の近くで、渇いた思いが細かい泡を立てていた。美しくない女にも、性欲があるということを知った時、神様は残酷だなと思った。

布団に顔を向けると、達郎はすでに寝息をたて始めていた。

真以子

真以子は机の上にあるメモを眺めていた。

そこには、杉田の世田谷の住所が書かれてある。

先日、杉田が真以子のマンションに来た時、トイレに立ったのを見計らって鞄《かばん》の中を探り、免許証を手にした。それはすでに新しい住所に書き替えられていて、素早く書き写した。

新しい住所を聞けば、杉田はいくらか躊躇《ちゆうちよ》しつつも教えてくれるだろう。杉田はそういう男だ。そういう男というのは、正直な男というより、人には最後まで隠しておいた方が納まりがつくことがある、ということに気が回らない男ということだ。

そうして真以子は、聞けば教えてくれることがわかっていても、それを正面切って聞くことができない女なのだった。

どんな女と結婚したのだろう。どんな家に住んでいるのだろう。

お腹の大きい妻と、その両親。ホームドラマのような光景は、杉田に似合うはずもない。そう思いながら、真以子が知る顔とはまったく違う笑顔が、そこにあるのかもしれない。

食卓にはどんな料理が並ぶのだろう。夫婦の部屋はどんな造りになっているのだろう。杉田は妻をどんなふうに抱くのだろう。

息が少し苦しくなって、真以子は本棚の上を見上げた。いつもの場所にミィがいることにホッとした。

「ミィ、おいで、煮干しをあげる」

机から離れて、キッチンに向かった。

このままじっとしていると、想像が妄想に繋がっていくような気がして怖かった。

初めて杉田から結婚したと聞かされた時、動揺はしたが、自分を見失うようなことはなかった。あれから何度か杉田と会っているが、もちろん、責めたこともない。

俺が結婚したって、ふたりの関係は何も変わらない。

杉田はそう言った。その通りだと、真以子も思った。週に何度かの電話、月に何度かの食事、そうして時々ベッドに入る。確かに今までと何も変わらない。

けれども、思いがけないことに、時間がたつにつれ、自分の中に激しい感情が広がっていた。今まで気にしなかった、自分と会っていない時間を杉田がどう過ごしているか、それが気になってならないのだった。時にはまるで発作のように真以子の気持ちを昂《たか》ぶらせた。

缶から煮干しをひとつまみ摑んで皿に載せ、床に置いた。ミィが本棚の上から身軽に飛び降りてくる。

この感情を、嫉妬だと認めてしまえば、ある種、楽に過ごせるのかもしれない。自分より若くて、もうすぐ子供を産んで、一生杉田と暮らしていく。真以子にできないことがすべてできてしまう女。それを考えると、杉田に背中を向けられずにいることを、むしろ、ありがたく思うべきなのかもしれない。

ミィが煮干しを食べている。ミィは決して安物の煮干しだからと不満を見せたり、もっと欲しいと催促するようなことはない。いつも、与えられたものを、黙って受け入れる。

自分もそれができる女だと、真以子は思っていた。

少なくとも杉田から結婚を聞くまでは。

「ちょっと、出掛けてくるわ」

真以子は立ち上がって、ミィを見下ろした。

ミィがどこか同情のこもった目で、真以子を見上げた。今から自分がしようとしていることを見透かされたような気がして、真以子は思わず目を逸《そ》らした。

駅に向かう間も、電車に揺られている間も、今なら引き返せる、とばかり考えていた。それでも結局、杉田の住む町の駅に降り立った。駅前で壁に貼ってある地図を眺め、だいたいの目星をつけて探し始めた。この辺りは古くからある町並みのせいか、番地が入り組んでいて、路地に迷い込んだり、気がつくと同じ通りに出ていたりした。一時間近くうろつくと、さすがに自分のやっていることに嫌気がさしてきた。

もう帰ろう、そう思ったとたん、杉田という名前が目に飛び込んできた。矢内という古びた表札の下に、杉田と書かれた新しいプレートが貼りつけられていた。

真以子は家を見上げた。

築二十年はたっていそうな、モルタル壁のどうということはない家だった。白い門扉《もんぴ》は少し錆《さ》びていて、開け閉めのたびに軋《きし》んだ音をたてそうに見えた。玄関まで赤い煉瓦《れんが》が敷いてあり、両脇に置かれたプランターに色とりどりの花が寄せ植えされていた。一本ある背の高い木はたぶん花水木《ハナミズキ》だ。玄関横の車庫に、新しい家族向けの白いセダンが置いてある。杉田は古い四駆に乗っていた。結婚を機に買い替えたのだろうか。それとも父親のものだろうか。一階にキッチンとリビングダイニング、両親の部屋、それにトイレと風呂。二階は二間か三間、という想像がついた。両親と娘夫婦の二世帯が住むには似合いの家だった。

真以子は二階の窓に揺れるレースのカーテンを眺めながら、自分はこんな幸福を望んでいたわけではない、と呟いた。

互いに仕事を持ち、自分の快適な住みかがあり、好きに行き来し、自分の予定を自分で組める自由がある、そんな関係を選んできた。

けれども、こうして町の中に溶け込んだ家の前に立っていると、選んだと思っているのは自分だけで、実は、弾《はじ》き出されてしまっただけではないかと思えた。

本当にこれでよかったのだろうか。三年前、杉田のプロポーズを受けなかったことは正しい選択だったのだろうか。もっと大切にしなければならないものがあったのではないだろうか。

そんなことを今更迷い始めている、そのことの方が真以子にはいたたまれなかった。

こんなところにあまり長く立っていては不審がられる。それに気付いて、真以子は駅に続く道を戻り始めた。

ふと顔を上げると、前から妊婦がやってくるのが見えた。チェックのジャンパースカート形のマタニティドレスと、白いソックスにぺたんこ靴、大きめのトートバッグを肩にかけている。真以子より十歳、いやもっと年下かもしれない。化粧気のない顔は、いくらか疲れた様子だったが、その中にも満ち足りたものが覗いていた。

緊張が真以子を包んだ。

まさか、そんな偶然など起こるはずがない。

妊婦はゆったりした足取りで、大きなお腹を揺らしながら近付いてくる。すれ違ってから、真以子は立ち止まり、振り向いた。妊婦があの家に入るか、確かめたかった。

祈りは叶《かな》わず、白い門扉の家に何の躊躇もなく、妊婦は入っていった。

見なければよかった。

いいや、最初からここに来るべきではなかった。もともと杉田の免許証など盗み見すべきではなかったのだ。してはいけないこと、それがわかっていてせずにはいられなかった自分の愚かさを、真以子は改めて嚙《か》み締めていた。

夜になって、もう二年ばかり仕事の付き合いがある編集者から、担当の雑誌が来月号で休刊になるとの連絡を受けた。

休刊というのは言葉だけで、つまりは廃刊ということだ。その雑誌は毎月十ページほど受け持っていて、真以子の生活の中でも重要な収入源となる仕事だった。

「今度、また適当な仕事を紹介しますから」

編集者は呑気《のんき》な声で言った。社員の彼はすでに他の部署に配属が決まっているのだろうが、フリーの真以子は雑誌が終わればそれまでだ。よろしくお願いします、と答えたものの、アテにできるはずもなかった。

「ミィ」

と、真以子は本棚の上を見上げた。が、そこにはいない。振り向いたソファの上にも、椅子から立ち上がって隣の部屋のベッドを覗いても、キッチンにもいない。

見ると、ベランダのガラスサッシ戸が二十センチばかり開いている。さっき、部屋の空気を入れ替えたくて、開けたのをそのままにしておいたことに気がついた。内猫のミィは、外に出るとしてもベランダまでだ。顔を覗かせたが、そこにも姿はなかった。

まさか、ベランダから外へ？

慌てて見下ろした。暗くて何も見えない。真以子の部屋は二階だが、ベランダの手摺《てす》り近くまで伸びた桜の木と、隣接した家の塀を使えば、下りられないこともない。

外を知らないミィが外に出れば、どんなことになるか。悪い想像ならすぐについた。不運はまるで磁石のように、あれもこれもと引き寄せた。

真以子は鍵を手にして玄関に走った。

もしミィまでいなくなったら……。

その思いが、恐怖にも似て、真以子を包んでいた。

七恵

他人からすれば恵まれた生活に映るだろう。

正直なところ、七恵自身もそう思っている。今日は、午前中にビーズ細工教室に行き、そのまま教室の仲間たちと代官山で遅めのランチを摂った。夕方には美弥と一緒に美容院に出掛け、夕食は実家でよばれた。

金銭的な不自由は何もない。孤独や不安はあるが、それらも美弥や実家の家族や友人たちによって癒《いや》されている。ただ、どうしても満たすことができないものがあるということを、七恵は最近になって知るようになった。

時折、セックスに対する欲望が、激しいくらいの衝動で七恵を突き動かした。

心惹かれる男がいるわけではない。誰か特定の男に抱かれたいというのではなく、ただ、セックスがもたらすあのとろけるような充足を、肉体がストレートに求めているのだった。

ひとりでは大きすぎるベッドの中で、七恵は時々、夢を見た。とてもいやらしく、淫《みだ》らで、ふしだらな自分がいた。現実にはしたこともないようなセックスを、そこでは何の躊躇もなく、むしろ自らすすんで見知らぬ男に仕掛けていく。

今夜もそうだった。

もうこれ以上恥ずかしいと思えることはない、というようなセックスをした。たぶん声を上げたのだろう。はっと目を覚ました。身震いするほど興奮が残っていて、七恵は胎児のように身体を丸め、身体が落ち着きを取り戻すのを待った。

もし、夢の中でセックスのすべてが満たされるのなら、それはそれで完結することができる。けれども夢はあくまで夢だった。むしろ、その興奮が呼び水となって、意識の中にセックスに対する欲望がはっきりと浮き出てくるのだった。

性欲をやっかいなものと考えなければならない自分が情けなかった。愛とかぬくもりとか信頼とかではなく、求めているのがセックスであるという身も蓋もない欲求にも、七恵自身、どう向き合っていいのかわからなかった。

翌日、やけに身体が熱っぽく、美弥を学校に送り出してからソファで横になっていると、電話が鳴り始めた。

「はい、鹿島でございます」

名乗ると、遠慮がちな声が流れてきた。

「私、葉村の家内の奈保子《なほこ》です。突然、お電話など差し上げて申し訳ありません」

一瞬、言葉に詰まった。

彼女の存在はもちろん秀一から聞かされているが、言葉を交わすのは初めてだ。

「いえ、初めまして、私、七恵です」

いくらか上擦《うわず》った声で七恵は挨拶を返した。

「実は、少し、お会いしたいんですが、都合をつけていただくわけにはいかないでしょうか」

言葉は遠慮がちだったが、その底に強い意志のようなものが感じられた。

「何かあったんですか」

不安な思いで七恵は尋ねた。

「いえ、そういうわけではありません。ただ、前々から一度お目にかかりたいと思っていました。今日、ようやくその決心がついたものですから、不躾《ぶしつけ》とは思ったのですが、お電話させていただきました」

「そうですか」

相手の意図が読めなかった。けれども、秀一の新しい妻がどんな女か、その興味は七恵にもある。

「私の方は構いません」

「よかった。今日というのは急すぎますか?」

「午後遅めなら」

「七恵さんのご都合のよい時間と場所を指定してくだされば、そちらに伺います」

七恵は少し考え、恵比寿のホテルのティルームの名を告げた。

「あの、それからこのことは、秀一さんには何も言ってないんです」

「わかりました。そんなことは気になさらないで。じゃあ、その時に」

電話を切って、七恵は息を吐いた。

内容が何かわからなくても、心弾むような話でないことだけは察しがつく。

それでも、かすかに対抗するような気持ちが湧《わ》いて、化粧台へと向かった。


日差しを避けるように、壁ぎわの席にひっそりと、奈保子は座っていた。

初対面ではあったが、ティルームに足を踏み入れた時から、彼女に違いないという直感があった。

たぶん、奈保子の方も同じだったのだろう。

七恵を見ると、躊躇なく立ち上がって会釈した。

七恵は改めて背筋を伸ばし、作りすぎない笑顔を浮かべながら、近付いた。

肩までのストレートボブ、ナチュラルメイク、七分袖の白いブラウスに、ベージュのスカート、シルバーのチェーンベルト。近付きながら、全身を観察する。耳たぶに小さなダイヤのピアス。茶のバッグに揃いのミュール。悪くないセンスだ。目立ちはしないが、質のいいものを無難にまとめている。

席に着く頃には、互いの観察はすべて終わっていた。

七恵はホルターネックのプリントシャツに、黒のカーディガンを肩に羽織り、同色のパンツを穿《は》いている。アクセサリーはノーブランドだがすべてプラチナで、サンダルとバッグはエルメスでまとめてきた。肩肘《かたひじ》張らず、それでいて決して手を抜いてないスタイルだと思っている。

七恵は奈保子と向き合った。

「初めまして、七恵です」

「お呼び立てして申し訳ありません。奈保子です。今日はわざわざありがとうございます」

短く挨拶を交わし合い、腰を下ろした。七恵はアイスティを注文する。奈保子の前にはカプチーノのカップがまだ手付かずで置いてある。

世間話の口火を切るのは、年上の自分の役割のように思えて、七恵は尋ねた。

「お子さん、もう大きくなられたでしょうね。雅樹ちゃんでしたよね」

七恵の問いに、奈保子は口元を緩めて頷いた。

「おかげさまで、順調に育ってます。今月で四ヵ月になりました」

「そろそろ人見知りが始まる頃ね」

「ええ、私と秀一さん以外の人に抱かれると、すぐに泣いてしまって」

ウェイトレスがアイスティをテーブルの上に置く。

「うちの美弥もそうだったわ。せっかくお客さまがあやしてくれても、ぜんぜん駄目なの。申し訳なくて」

「うちもそうです。最近になって、ようやく葉村の両親の顔を覚えたくらいです」

秀一の両親にとっては、跡継ぎとなる男の子だ。さぞかし、喜んでいることだろう。美弥を出産した時、母乳を与える七恵の隣で義母が言った「次は男の子ね」の言葉を、今も忘れてはいない。

「想像していた以上に素敵な方だったんで、とても嬉しいわ」

それが自分に向けられている言葉と気付いて、七恵は微笑んだ。

「ずっと、どんな女性だろうって想像してたんです」

「どうもありがとう。あなたも素敵だわ。若くて綺麗で羨ましい。そのバングルどちらのかしら？」

黒革の細い紐《ひも》に、小指の爪ほどの大きさのクリスタルガラスが等間隔に通されている。

奈保子はバングルに手をやった。

「新婚旅行で行ったチェコで秀一さんが買ってくれたんです」

「そうなの、よくお似合いだわ」

自分たちの時はハワイだったと、七恵は思い出していた。七恵も熟れた果実のような赤い珊瑚《さんご》のブレスレットをプレゼントされた。果てしなく広がる海を見つめながら、この幸福は永遠に続くと信じていた。

それにしても、こんな歯の浮くような誉め合いをするために呼び出されたのではないはずだ。

アイスティを一口飲んで、七恵の方から切り出した。

「それで、お話って何でしょう」

奈保子がわずかに躊躇《ためら》いの表情を見せた。

「どうぞ、遠慮せずにおっしゃって」

「先日、秀一さんと会ったと聞きました」

七恵のグラスを持つ手が止まった。

たぶんそのことではないかとの予感はあったが、それでも、ふたりで会ったことを、秀一が妻に話したということに対して、かすかな失望がよぎった。もちろん、自分はそんなことを思う立場ではない。

グラスをテーブルに戻し終えた時には、もちろん七恵の顔に余裕の笑みが戻っていた。

「ご存じだと思いますけど、共通の友人が亡くなって、そのことでお会いしました」

「高瀬秋生さんとおっしゃる、秀一さんの大学時代の友人ですね」

「ええ、急なことで本当にびっくりしてしまって。でも、そのことであなたに不愉快な思いをさせてしまったのなら、ごめんなさいね。軽率だったわ、謝ります」

行きがかり上、今度の面会の時に美弥とふたりで自宅を訪問する、という約束をして別れた。

タクシー乗り場に向かいながら、あんな返事をして本当によかったのか、七恵はいくらか後悔し始めていた。一見、正しいように感じられる選択は、たいがい、後でやっかいな問題を連れてくる。

それでも、ノーと言えば、まるで負けを認めてしまうような気がした。

負け？　ふと、そんな感覚を持った自分を笑いたくなった。もし自分が勝ち負けを意識しなければならない相手がいるとしても、それを奈保子にするのはおかど違いだ。

それから、さっき胸の底でくらりと揺れたもののことを考えた。

真以子

ミィがいなくなって丸一日が過ぎた。

探せるところは、全部探した。

近くの公園、駐車場、空き地。他人の庭を覗き込み、草叢《くさむら》があれば顔を突っ込んだ。東の空が明るくなると同時にマンションを出て、暗くなるまで探し回った。それでも見つけることができなかった。

事故にでも遭ったのではないか。もう生きていないのではないか。

悪い予感だけが広がっていく。

家に戻ってもすることはない。予定していた雑誌の仕事は休刊が決まってしまった。食欲もなく、シャワーを浴びる気にもなれず、部屋の壁にもたれ、膝を抱えてただぼんやりした。

そうしているうちに、奇妙な感覚に包まれていった。現実感が失われ、目に映るすべてのものに薄いベールがかかっていく。まるで自分が錯覚の産物のように思えてきて、ミィが本当にいたのかさえ、曖昧《あいまい》な気持ちに包まれた。こうしているのは、もしかしたら他人の記憶を借りているのではないか、そんな頼りない気持ちだった。

八時を少し過ぎた頃、杉田に電話を入れた。

もう恵比寿の仕事場からは帰ったかもしれないと思ったが、ミィのいない部屋で二度目の夜を、このままひとり過ごす気力がなかった。

コールが三度鳴って、受話器が上げられた。

「私、真以子」

「おう、元気にしてたか」

のんびりとした杉田の声を聞くと、思いがけず、言葉に詰まった。

「どうした」

杉田の声に怪訝《けげん》なものが含まれた。

「ミィが」

言いかけたが、涙が溢れてきて、真以子は思わず口を押さえた。

「ミィがどうした」

「……いなくなったの」

杉田は言葉を途切らせた。

「いつ？」

「昨日の晩。ベランダから外に出てしまったみたいなの。一日中探し回ったけど見つからなくて。もしかしたら、どこかでもう死んじゃったかもしれない」

そうして真以子はしばらく泣いた。

「そっちに行こうか」

杉田が言った。

泣いたことで、少し落ち着きを取り戻していた。自分のみっともない様子を見せたことが急に恥ずかしく思えてきて、真以子は首を振った。

「ううん、いいの。そんなつもりで電話したんじゃないの。それに、どうせ世田谷の家に帰るんでしょう」

来てと言えば、杉田はきっと来てくれるだろう。けれども、そうだとしても、結局、あの家に帰る杉田を見なければならない。

今までも、杉田は帰っていった。その時は、互いにひとりに戻るという安堵があった。今、杉田はひとりになるわけではない。帰る場所には家族が待っている。

「いいよ、少しぐらい遅くなっても構やしない」

その言い方にすでに傷ついている。

やっぱり帰るのね、遅くなるのは少しだけなのね。

理不尽だと思いながら、胸の中で杉田を責める真以子がいる。

結婚してもふたりの関係は何も変わらない、と杉田は言った。嘘だ。こんなにも変わってしまったではないか。杉田と会う時は、妻から、気兼ねして借り出さねばならないではないか。

「ううん、いいの、私は大丈夫」

「本当に？」

「ちょっと心細くなって電話してみただけだから。明日、もう一度探してみるわ」

「そうか」

「じゃあ」

電話を切って、窓に目を向けた。カーテンを引いてないガラス窓に、女の顔が映っている。

その、もう若くはなく、疲れた顔の女を自分だと認めるまで少し時間がかかった。若くないことも、疲れていることも事実なのに、それをすぐに受け入れようとしない自分の卑屈さを、真以子は恥じた。

——君はいつも、欲しいものを口にする前に、それが手に入らなかった時のことを考えているんだね。

不意に、秋生の言葉が甦った。

あの時、秋生はいくらか同情の滲《にじ》んだ目で真以子を眺めながら、言った。

「安心して、そんなつもりないから」

と、真以子が口にし、それに返してきた言葉だった。

真以子は振り向き、秋生と目を合わせた。何と答えたか、覚えていない。たぶん、攻撃的な言葉だったと思う。わかったようなこと言わないで、とか、余計なお世話だわ、とか……そうして慌てて目を逸らした。

一度だけ、秋生と寝た。学生時代、みなで飲んで、帰り道にたまたまふたりになり、真以子が自分の部屋に誘ったのだ。

秋生に言われた言葉が、思いがけない激しさで真以子を傷つけた。それは真以子の痛いところをぴたりと言い当てていた。

欲しいものを欲しいと口にする、そんな単純なことが苦手だった。そうしたとたん、それは永久に手に入らないものに変わってしまいそうな気がした。だから、欲しいなんて考えてもいなかったようなふりを、他人に、いや自分自身にすることが習性になっていた。

あなたに何かを期待しているわけじゃないわ。ただ、寝たかったから寝ただけ。それだけよ。勘違いしないで。

秋生は「そうか」と短く答え、それから「そんなことをしたって楽に生きられるわけじゃないのに」と付け加えた。

秋生は何もかも知っていたに違いない。

どんなに真以子が、秋生に焦《こ》がれていたかということを。

真以子は電話を振り返った。

秋生の言った通りではないか。欲しいものなど何もないような顔をしていても、結局、楽には生きられないではないか。

真以子は受話器に手を伸ばしていた。

杉田はまだ仕事場にいた。

「来て」

真以子は言った。

「お願い、来て」

「わかった」

四十分後にマンションのチャイムが鳴り、ドアを開けると、いくらか困惑した表情の杉田が立っていた。

「大丈夫か」

「ごめんなさい」

「何言ってんだ、一緒に探しに行こう」

「うん」

夜の町を杉田と歩いた。

服が汚れるのも構わず、杉田は道に膝をついて植え込みの奥を覗き込み、公園の藪《やぶ》の中に身体ごと突っ込むようにしてミィの名を呼んだ。

「どこに行っちまったんだろうな。真以子のうちにいた方が、ずっと安全なのに」

そんな杉田を見ていると、後悔と呼ぶには重すぎる苦い思いが込み上げてきた。

「どうして結婚なんてしたの？」

考える前に言葉が出ていた。

杉田の動きが止まり、ゆっくりと振り向いた。

「何だって？」

「どうして結婚なんかしたの？」

「真以子、俺と結婚したかったのか」

「ううん、そうじゃないわ」

大きく首を左右に振った。

「だったら、何を望んでた？」

真以子は慎重に言葉を選んだ。

「わからない。ただ、あなたも私と同じことを考えているとばかり思い込んでたの」

「同じことって？」

聞き返されて、真以子は杉田を見上げた。そう言われること自体、自分のひとりよがりの思い込みを裏付けされたようなものだった。

「結婚なんてしなくても、それといちばん近い付き合いをずっと続けていけるって」

「そう思ってるよ。だから、結婚しても俺は前のままだ」

「ううん、違うわ。ぜんぜん違う」

「そうだろうか」

「もし、大きな地震が起こったらどうする？　あなたが最初に向かうのは、私のところじゃない」

「ちょっと座ろう」

促されて、真以子は杉田と公園のベンチに腰を下ろした。街灯の明かりがぼんやりとふたりの肩に降り注いでいる。ブランコの下に、汚れたサッカーボールが、見捨てられたように転がっていた。

「あの時、俺は本当に真以子と結婚したかったんだ」

「ええ、わかってる」

「断った時、真以子はこうも言ったんだよ。結婚したいならそういう人を探せばいいって」

　はっきり覚えてはいなかったが、自分ならそう言うだろうと思った。

「正直言って、それを聞いた時はショックだった」

「私って、本当にいやな女だわ」

「たまたまそんな時、今の女房と知り合ったんだ。何も結婚したくて付き合ったわけじゃない。真以子も知っているだろうけど、たまには俺も、女の子と適当に遊んだりしていた。俺の周りには、そういうことに抵抗のない女の子が相応にいるからね。最初は彼女もその中のひとりみたいな感覚だったんだ。やがて彼女が妊娠したと言ってきた。その時、俺の頭にいちばん最初に浮かんだのは、堕胎の費用のことだった。ところが彼女は、産みたいと言った」

　杉田が目を細めた。夜の明かりが、横顔を細く縁取っていて、知らない誰かのように見える。

「その上、結婚したいとも言った。まさかそんなことを言われるとは思ってもみなかったから、本当にびっくりしたよ。てっきり、彼女も俺の周りにいる遊び慣れた女の子のひとりだと思い込んでたんだ。とにかく彼女はストレートにぶつかってきた。結婚したいって必死なんだ。その時はもう子供を守る母親の顔をしてたよ」

「そう」

「それを見て、結婚するというより、この子を不幸にできないな、という気がしたんだ。もちろん、子供のことはあった。子供を持つ人生なんて自分にはないと思っていたし、想像もできなかったけど、実際そうだとわかった時、気の重さと同時に、面映《おもは》ゆいような奇妙な感覚に包まれた。それは何だろうとよくよく考えてみると、やっぱり嬉しさなんだ」

　杉田がわずかに顔を向けた。

「こんな話、聞きたくもないだろうけど」

「ううん、いいの。あなたの言ってることわかるわ」

「結婚したことを、もっと前に言うべきだった。俺自身、真以子が結婚を望んでないということを理由に、正直に話すことを先延ばしにしていたんだ。卑怯《ひきよう》なやり方だとわかってたのに。悪かった」

　なぜ、杉田のプロポーズを断ったのだろう。

真以子は自分の隣で、自分の罪ではないことを引き受けようとしている杉田の横顔から、静かに目をそむけた。

若い頃、恋人と暮らしたことがある。互いに仕事が忙しく、共に過ごす時間を少しでも多く持ちたいという思いがあった。好きだから一緒にいたい、望んでいたのはそれだけだった。

暮らし始めて一年たった頃、関係は一変していた。現実が、こんなに手強《てごわ》いものとは想像もしていなかった。うっすらと埃《ほこり》をかぶるように、刺激的だった日々は色彩を失っていった。相手が何を考えているか慮《おもんぱか》る余裕をなくし、互いの身体にさえ興味を失っていた。いや、ほとんど憎しみ合っていたと言っていい。愛を囁《ささや》いたその口で、たまった洗濯物や部屋の掃除を押しつけ合った。夜通し人生を語った情熱は、生活費の配分や、男が勝手に買った家賃一ヵ月分もするオーディオへの抗議にすり替わった。愛情だと信じて疑わなかったものは、あっさりと日常に足をすくわれていた。

一言で言えば、臆病《おくびよう》だったと言うしかない。結婚して、いい奥さんになる自信などなかった。杉田の食事を作ったり、部屋を掃除したり、Tシャツや下着を洗濯することは、たまに部屋を訪れてするなら楽しみにも感じられるが、それが日常となれば自分がどう思うようになるか、予想がついていた。

「すまなかった」

杉田が言った。

真以子は我に返ったように首を振った。

「謝らないで。あなたの言っていることは正しいわ。結婚したくないって言ったのは私だもの。あなたが他の誰かと結婚したからって、私がとやかく言えるわけないわ」

それでも、失望が身体の奥底に重く沈んでいる。

自分がいらないと拒否したものを、自分以外の誰かが手にしたら急に惜しくなったのか。

「俺はどうすればいい？」

杉田が尋ねた。どうすればいい？　と尋ねながら、そこにはすでに大きな制限がついている。望めるのは、妻が必要としない部分の杉田だ。それは、妻からささやかなおこぼれをもらい受けるようなものだ。ついこの間まで、杉田は自分のものだった。もちろんすべてではないが、優先順位は自分にあった。そして、それを手放したのは、杉田ではなく、真以子自身なのだ。

それに改めて気付いた時、真以子は自分の真意を突きつけられていた。

私は、本当は杉田と結婚したかったのだ。

面倒だ、煩《わずら》わしいなどと、結婚を拒否しながら、説き伏せられることを待っていた。

いつか、そういう時が来るのを当然のように思っていて、先延ばしする権利を武器のように考えることで、自分を守ろうとしていた。

いったい何から。守るべきものなど何も持っていないというのに。

そんな傲慢《ごうまん》さを、私はいったい何を根拠に持ち合わせるようになったのだろう。

真以子は唇を噛み、杉田の質問には答えず、こう言った。

「ミィを探して。お願い」

協子

母が何か言いたそうにしている。

そのことに、協子はもうずいぶん前から気付いていた。

妊娠を隠すのも、そろそろ限界かもしれない。産むと決めた以上、両親にすべてを打ち明け、今後のことも話し合わねばならないことはわかっている。

けれども、最初に口にすべき言葉を、協子はまだ選びあぐねていた。

小さい時から、両親に可愛がられ期待され、協子もまたそれに応える娘だった。進学も就職も両親の意向を大事にしたし、そうしたことを不本意だったとは思っていない。親子喧嘩《げんか》は人並みにあったが、所詮《しょせん》、三日もすれば原因が何だったか思い出せない程度のものだった。

そんな娘が、結婚もしないまま妊娠している。それも、相手の男はすでにこの世にいないとなれば、両親にとって、きっと天地がひっくりかえるような出来事だろう。どれほど驚き、どれほど嘆くか。それは協子の予想をはるかに超えるに違いない。加えて、兄たちのこともある。兄たちの妻や、その後ろに見え隠れする家族。友人、親戚、近所、世間。父は世間体に振り回される人ではないが、世の中のモラルやルールをなおざりにできる人でもない。

もし怒りをかって家を出されることになったら。親子の縁を切られたら……。そうしたら、自分はひとりで暮らしていけるだろうか。

同時に、会社との向き合い方もわからなかった。未婚のまま子供を産む、ということを知った時、会社側はどんな反応を示すだろう。離婚した女性が子供を育てながら働いているというケースはいくつかあるが、協子のような立場は、知り得る限り、前例がない。

辞めることも、頭に入れておかなければならないことはわかっている。けれども、ひとりで産み、育てることを考えると、どうしても今の職場に残りたいという思いが強かった。今更、転職をしても、今以上の待遇は望めないだろうし、協子自身、今までのキャリアを棒に振ることもしたくなかった。

そのためにも何か手を打たなければ、と思うのだが、具体的な対策が見つからないまま、時間だけが過ぎていった。

今日は、朝から仕事に追われていた。

女の子がひとり風邪で休み、午前中は予約やキャンセルの電話に忙殺された。午後は重役を交えての面倒な会議が入っていて、その前に、報告するデータにもう一度目を通しておかなければならなかった。

悪阻《つわり》は軽いが、空腹になるとさすがに吐き気が込み上げてくる。いつも、一時間に一度くらいの割合で席を立ち、ロッカー室で簡単なもの、小さなおにぎりとかサンドイッチを食べてしのいでいた。

しかし、会議となればそうもいかない。始まって二時間も過ぎた頃から、からっぽになった胃の底で小さく痙攣《けいれん》するように、吐き気が間断なく湧き上がってきた。協子は額に滲む冷たい汗を拭った。その上、会議は煙草が許されていて、部屋の空気が淀《よど》んでいる。息を吸うたび、頭の芯《しん》が重くなった。

何度も席を立とうと思うのだが、タイミングがうまく見つけられずにいた。吐き気を長くこらえすぎたせいか、目の前に薄い膜が張ったように、見えるものすべての輪郭が曖昧になっていた。

「仲井くん」

名を呼ばれて、協子は顔を向けた。会議の進行役を務めている課長の顔が霞《かす》んで見えた。

「では、来月の予約状況を説明してもらおうか」

「はい」

協子は席を立とうとした。その瞬間、フラッシュをたかれたように目の前が白く弾けた。身体が傾いた気がして、思わず机のへりを摑んだ。

どうした、と尋ねる課長の声が、水の底で聞くように籠《こ》もっている。

何か言わなければ。

しかし、すでに唇に感覚はなく、唇から言葉は出なかった。闇に引きずり込まれるように意識が遠退《とおの》き、協子の身体はゆっくりと崩れていった。


協子はこれが夢なのだと知っていた。

夢の中で、秋生の姿を追っていた。

背中は見えるのだが、人波に阻《はば》まれて追いつけない。もどかしくて、協子は何度も秋生の名を呼んだ。

秋生はもういないのよ、死んでしまったのよ。

それもまた協子は知っている。けれども、死んだというなら、学生の時、唐突に姿を消した秋生もまた協子にとって死んだと同じだった。十五年たって、秋生と再び会った。

それなら、また秋生に会えても不思議はないように思えた。

「秋生、秋生」

ようやく秋生が振り返った。協子は追いつき、秋生の前に立った。

「どこに行くの。また私をおいていくの」

秋生は少し目を細め、まるでからかっているような笑みを浮かべた。

――まだわからないのかい。誰も僕を引き止めることはできないんだ。僕自身でさえもね。

秋生は死んでも、夢の中でも、決して思い通りにはならない男なのだった。


目が覚めると白い天井が見えた。

蛍光灯がひどくまぶしい。何度も目をしばたたきながら、しばらくぼんやりしていた。

やがて、ここが病院だということを理解した。会議中に倒れたこと、診療室に運ばれたこと、そこから車で病院に向かった経緯も思い出した。

まさか。

お腹はぺたりとしている。慌てて上半身を起こした。吐き気は治まっているが、めまいはまだ少し残っている。左腕に点滴の針が刺さっていた。病院用の寝巻に着替えさせられてはいるが、下着はつけたままだ。何かしらの処置を受けた、というような感覚はなかった。

壁の時計は七時を少し回ったところだった。

母が病室に入ってきた。

「あら、目が覚めたの」

手にはウーロン茶の缶がある。

「飲む？」

ベッド脇の椅子に腰を下ろしながら言った。

協子は首を横に振った。

妊娠のことを病院から聞かされただろうか。それを自分から口にすべきか、協子は迷った。

「開けてちょうだい」

母が缶を差し出した。爪がもろい母は、プルリングを引くのが苦手で、協子がそばにいる時は、いつも代わりに開けさせる。

「大丈夫ですって」

協子が缶を手にした時、母は言った。

「順調に育ってますって言われたわ」

驚きとホッとする思いが同時にこみ上げた。

「お母さん、私……」

「ほんとにもう、聞いた時は腰が抜けるかと思ったくらいびっくりしたわ」

母の声は意外にも明るい。どこか浮き立ったようなニュアンスも含まれている。

「そういう人がいるなら早く言ってくれればよかったのに」

協子は口を開けた缶を母に返した。

「何で黙ってたの。もしかしたら、私とお父さんのことを気にしてたの。そんなことは大丈夫。好きな人のところにお嫁に行っていいんだから」

協子は言葉を探しあぐねた。

「その人に連絡しなくていいの？」

どう言えば、母を動揺させずに済むだろう。

「お腹があまり目立たないうちに、式だけは挙げた方がいいわね。とにかく、一度、その人をうちに連れていらっしゃい。相手の方の顔も知らないんじゃ話にならないわ。まあ、あなたも大人なんだし、今更、親に顔を出されるのも恥ずかしいかもしれないけど、やっぱりあちらのご家族とも、ご挨拶だけはちゃんとしておかないとね。お父さん、何て言うかしらね。ああ見えて、あなたのことといろいろ心配してたのよ。自分たちが死んだら、協子はひとりぼっちでかわいそうだなんて、時々、思い出したように言ってたんだから」

その、母にとってひどく都合のいい誤解を解くのは自分の役目だということはわかっている。けれども、事実は両親に大きなショックを与えるはずだ。その後の、自分が受けなければならない荷厄介《にやっかい》について考え始めると、つい口を噤《つぐ》んだ。

その日は何も言えないまま退院した。

医者から少し疲れていると言われ、翌日は休むつもりでいたのだが、朝になると体調もよく、家にいるのも居心地が悪くて、出社することにした。

昨夜のうちに、母は父に話したに違いない。自分から正確な状況を説明するには、まだ少し準備が足りなかった。

朝食で顔を合わせた時、協子は「今夜、きちんとお話しします」とだけ言った。父はむっつりとしたまま頷き、母はどこかはしゃいだような顔つきで口元を緩めた。

出社すると、すぐに課長席に向かい、昨日のことを詫びた。

「昨日は、ご迷惑をおかけして申し訳ありませんでした」

課長は顔を上げ、デスクに肘をつき、声を顰《ひそ》めた。

「もういいのかい？」

そのどこかまごついたような様子からすでに妊娠の事実を知っていることがわかった。付き添ってくれた診療室の看護師から報告がいったのだろう。

「病気というわけではありませんので、もう大丈夫です」

「ああ、そうか、そうだね、病気じゃないからね」

課長は小さく何度も頷いた。

「これからは、二度とあのようなことが起きないよう、自己管理をきちんとします。本当に、申し訳ありませんでした」

「うん、そうか。しかし、びっくりしたよ。まさか、君がそういうことになってるなんて考えてもいなかったから。それで、今後の仕事はどうするつもりでいるのかな」

「もちろん、続けたいと思っています」

「そうか。僕としてもそうしてもらいたいと思ってる。チーフとして、君はよく頑張ってくれてるしね。まあ、体調のこともあるだろうから、仕事の配分なんかも少し考えた方がいいかもしれないね。えっと、これからのスケジューリングのこともあるので、とりあえず予定日を聞かせてもらえるかな」

「来年の三月の末です」

「じゃあ、その頃に産休に入るわけだな。育児休暇も一年とれるが、それはどうするつもりだね」

「たぶん、そうさせていただくことになると思います」

「そうか、わかった。それで結婚はいつ？　いろいろと手続きもあるし、社から祝い金も出るからね」

協子はゆっくりと息を吸い込んだ。当然、尋ねられる覚悟をしていた質問だった。

「結婚はしません」

「え？」

課長の表情が一瞬固まった。

「ひとりで産むつもりでいます」

「それはどういう」

言いかけて、課長は黙った。

自分の言おうとしていることが、もしかしたらセクシャルハラスメントに引っかかるのではないか、と懸念したのだろう。女性社員の多い航空会社ではマニュアルが行き届いていて、性の違いから生ずる発言に関しては、男性社員たちの誰もが気を遣っている。

「そうか」

と課長は呟き、それから後に続く適切な言葉を見つけられなかったらしく、短く付け加えた。

「とにかく、大事になさい」

協子は深く頭を下げた。

「ありがとうございます。これからも頑張りますので、よろしくお願いします」

自分の席に戻ると、課長が電話をかけているのが見えた。たぶん人事課か総務課だ。

結婚しないまま子供を産む、という立場の女性社員を扱ったのは初めてなのに違いない。通常のこと、たとえばさっき言った結婚祝いとか、扶養手当とか、年金や保険の手続きをどうすればいいのか、課長もわからないのだろう。

それは協子も同じだった。会社の中で、社会の中で、これから自分がどんな立場に立たされることになるのか、まだ想像もつかなかった。ただ言えることは、妊娠を公にしたことで、覚悟がはっきりとした形になったということだ。

その夜、両親を前にして、協子はすべてを打ち明けた。

「ひとりで産みたいと思ってます」

驚きと戸惑いの顔。母は今にも泣きだしそうにくしゃくしゃと鼻にシワを寄せ、父は唇を堅く結んだ。

何をどう想像しているか、両親の顔を見れば察しはついた。相手は結婚できない男なのか。妻子ある男なのか。そんな世間に背くようなことをおまえはしたのか。

「お父さんやお母さんの考えていることとは違います。でも、もしかしたら、もっと驚くかもしれない」

「どういうことなの？」

尋ねる母の声が掠れている。

「その人は死んだの」

その言葉を、母はすぐには信用できないようだった。

「そんな……」

言い訳とでも思っているのかもしれない。

「ふた月ほど前に」

母は黙った。その頃の協子の様子を思い出しているのだろう。

「産みたいの」

協子は両親に頭を下げた。

「どうしても産みたいの。産ませてください」

「でも、相手の方は死んでしまったんでしょう」

母の声は硬い。顔を上げなければ、と思う。目を見て話さなければ。なのに、それができない。卑屈な気持ちがあるわけではなかった。ただ、小さいときから両親を困らせた経験がなく、落胆する両親の顔を見るのが辛かった。

「すごく生意気に聞こえるかもしれないけれど、これは宣言なの。もし、産むのを許してもらえないなら、この家から出る覚悟もしています」

先に、それを言ってしまったことで、却って肩から力が抜けた。

「自分に、子供を持つ人生が訪れるなんて、ついこの間まで想像もしていなかった。でも今は、産まないことを選ぶ人生なんて考えられない」

「仕事はどうする」

父が言った。

「産休は六週間、育児休暇は一年とれるから、とにかく子供を預けられる場所を探して、それから会社に復帰するつもりでいるわ」

「父親のいない子を産んで、今の会社にいられるのか」

協子は黙った。その確証はまだない。クビにされることはないと思うが、配属替えや転勤などで遠回しの肩叩き、もしくはリストラの対象にされる可能性は十分に考えられる。

「もし、いられなくなったら、また仕事を探すから」

「どんな仕事だ。おまえに何ができるんだ」

「それは、まだわからないけれど、何とか探して働くわ」

「その程度の覚悟で、本当に自分ひとりで子供を育てられるのか」

父の言葉は静かだが、強い怒りが含まれている。

協子は口調を改めた。

「大変なことは承知しています」

「おまえが大変なのは、おまえが選んだことだから勝手にすればいい。けれど、生まれてくる子にも降りかかることだ。おまえのその身勝手な大変さを、子供にも押しつけて

「いいのか」

返す言葉に詰まった。産むのは子供を不幸にするだけだと、父は言っているのだろうか。

「その人と、結婚する約束でもしていたの？」

話を割るように、母が尋ねた。

「いいえ、何にも」

「あなたに子供ができたことは」

「それも、知らないまま」

「ご家族は？」

佑美のことが頭に浮かんだ。ふたりは結婚はしていなかった。家族ではない。

「詳しいことは知りませんけど、確か、お兄さんがいるはずです」

「じゃあ、そのお兄さんとお会いして、よく相談しましょう。もし、産むことになったら、認知の問題なんかも出てくるだろうし」

協子は母に顔を向けた。

「認知なんて、考えてないから」

「どうして」

母が心底、驚いたように言った。

「ひとりで産んでひとりで育てるつもりでいるの。世間に通用する言い訳なんて必要ないって思ってる」

　さすがに母は声を荒らげた。

「世間のためじゃないでしょう、ましてや私でもあなたのためでもない、生まれてくる子のために言ってるのよ。その子の将来を考えてごらんなさい。たとえ父親となる人がいなくても、おじいちゃんとかおばあちゃんとか、おじさんとかおばさんとか、そういった父方の血の繋がった人たちがいてくれたらどんなに心強いか。あなただって可愛がられてきたんだから、その有り難みはよくわかるでしょう」

　父や母の言っていることが正しいのだろうか。ひとりで産みたい、ひとりで育てたい。それは結局、自分の気持ちを優先して、生まれてくる子のことを少しも考えていないことになるのだろうか。

「ひとりで産むから」

　協子は膝の上で手を握り締めた。

　自分がひどく頑《かたく》なになっているのを感じた。

「産むってもう決めたから」

佑美

どれほど歩いただろう。

一時間半、いや二時間近くたつかもしれない。商店街を抜け、緑道を通り、住宅街を過ぎ、高速道路下をくぐり、また商店街を抜け、公園を越えた。ここがどこだか、佑美には見当もつかなかった。

「疲れませんか」

と、広宗が言った。

「いいえ、ぜんぜん、不思議なくらい」

「僕もです」

広宗が苦笑する。

笑う時、それがまるで罪であるかのように、広宗はほんの少し怒ったような顔をする。

昨日、名刺に書いてあった携帯に電話した。会いたい、と思ったからだ。会っても話すことは何もないということはわかっていたが、会いたい、というのはそれだけで理由になりそうに思えた。

携帯電話に出た広宗の声はひどく硬く、会った時の印象と違っていて、最初、間違えてかけてしまったのかと思った。

「佑美です」

と言うと、短い間があって「ああ」という声が返ってきた。その時はもう、佑美の知っている広宗の声だった。

「どうかしましたか」

「お会いできますか?」

また少し、間があった。佑美は少し慌てた気分になった。

「用事があるわけじゃないんです。だから、無理に時間を作っていただかなくてもいいんです。もし、会えたらと思っただけですから」

「土曜日の午後」

と、広宗は佑美の言葉の最後に重ねるように言った。

「三時頃なら、そちらに伺えます」

「よかった。じゃあ、待っています」

約束通り、土曜の午後三時ぴったりにドアのチャイムが鳴った。久しぶりに見る広宗は、少し疲れているように思えた。

広宗は部屋に上がると、南側のいちばん陽が差し込む場所に置いてある秋生の骨壺の前に進み、手を合わせた。秋生の写真と花も飾ってある。写真は、いつか秋生と出掛けた八ヶ岳で撮ったもので、花は白いトルコ桔梗《ききょう》だ。神様や奇跡は信じても、宗教は信じていなかった秋生のためにいつもそうしていた。もし、線香などたてたら、秋生はきっと天国で苦笑する。

広宗のために用意した薫《かお》りのいい煎茶を飲んで、少し話をした。どうということのない、口にした端から忘れていくような他愛ない話だ。ぎこちなさのようなものが、ふたりの間に割り込んでいて、佑美は少し困っていた。

その雰囲気を察したように広宗が言った。

「少し、歩きませんか?」

「どこへ?」

佑美は少し考え、頷いた。

「どこでも。もしかして、家から出てないんじゃないですか」

「そういえば、今朝から一度も。確か、昨日も。もしかしたら、おとといも」

佑美はコットンのソックスを穿き、サンダルではなくて、スニーカーに足を滑り込ませた。歩くことを目的として歩くなんて久しぶりだった。

横断歩道の前で、佑美と広宗は立ち止まった。低層マンションの屋上を縁取るように、西の空が橙《だいだい》色に滲んでいる。

「土曜日の夕暮れって、ずっと嫌いでした」

佑美はいくらか目を細めて、夜の準備を始めた空を眺めた。

「どうして？」

「土曜日の夜は、必ず両親と妹と夫と、家族五人で食事をするんです」

「そうですか」

「夫は両親にとって最高の婿養子で、妹にも最高の義兄でした。食卓で、何度もみんなを笑わせるし、父のゴルフの話とか、母の趣味のガーデニングの話とか、妹が最近観た映画の皮肉な批判とか、どうでもいいような退屈な話でも、本当に楽しそうに相手になってくれるんです。だから、食卓はいつもすごく和《なご》やかで、両親は土曜日が待ち遠しいなんて言ってました。でも、私は土曜日が大嫌いだった。今頃の時間になると吐きそうになるくらい憂鬱になるんです。食事の時、どんなに楽しそうでも、それを終えてマンションに着く頃には、夫は大概ひどく不機嫌になっていましたから。ああ、今夜も殴られるんだと思うと、身体から力が抜けてしまって」

信号が青に変わり、ふたりは再び歩き始めた。

「あの力の抜ける感じ。身体中の関節が崩れていくような感じは、今もよく覚えています」

不意にリアルに甦り、佑美は動悸《どうき》を覚えて、胸に手を当てた。

「心配ない。もう、どこにもあなたを殴る人間はいません」

「そうですね」

「まさかと思うが、秋生があなたにそういうことをしたというような」

「もちろん一度もありません。秋生さんは、私が嫌がることは何ひとつしなかった、何ひとつ」

「そうですか」

「私、秋生さんとしたことないんです」

広宗が顔を向けるのが頰に感じられた。

「いつも抱き合って寝てましたけど、セックスはないんです。六年間、一度も」

広宗が息を吐く。

「あなたはいつも、驚くようなことを、何でもないように言う」

佑美は笑った。

「ごめんなさい、そんなつもりじゃないんですけど」

「何か食べましょうか」

「ええ」

「それから、また歩いて帰りましょう。もし、疲れてなかったらですけど」

「ちっとも。まだ歩き足りないくらいです」

佑美は広宗を見上げた。

ほんの数度会っただけのこの人に、自分がどうしてこんなにも無防備でいられるのか、佑美は説明がつかなかった。秋生の兄だから、ということもあるだろう。ずっと年上だから、穏やかな人だから。けれど、それだけではない。その、それだけではない何かを知ることが、少し怖い気がした。

じゅん子

昼前、仕事場に電話があった。

谷山とわかって、じゅん子は驚いた。

「先日は、息子の弁当をありがとうございました」

「いいえ、あれくらい」

戸惑いながら答えた。

「もし、よかったら、昼飯をどこかで一緒に食べませんか」

「いえ、あの、私、お弁当を持ってきてますから」

「じゃあどこか食べられる場所で。そこからだと、宮下公園が近いですよね。そこで、どうですか」

「あの……」

「何時がいいですか」

尋ねられるまま、答えていた。

「二十分後なら」

「そうですか。では、駐車場のある入口で待ってます」

電話を切ってから、急に落ち着かない気持ちになった。いくらか強引とも思える口調は、じゅん子の知っている谷山とは印象が違っていた。突然のことで、断る理由も見つけられずについ承知してしまったが、それでよかったのだろうか。

昼休みは、たいがいロッカー室のテーブルで、ひとりで弁当を食べる。外食はもったいないし、ここならお茶もただで飲める。

化粧を直していると、課長の沢田未知子が入ってきた。

「めずらしいわね、稲本さんがお化粧直しなんて。お昼、どこかにお出掛け？」

もともと同期ということもあって、仕事以外の会話では、未知子はざっくばらんな口調になる。じゅん子の方は、それでもやはり気を遣う。パートの立場を左右する権利を持っている上司、ということがいつも頭の隅にある。

「ちょっと、友達と会うものですから」

悪いことが見つかったように、じゅん子は慌てて化粧ポーチをバッグの中に押し込んだ。それから「じゃあ」と短く言い、弁当の入った袋を手にして、公園に向かった。

公園の入口に、谷山は立っていた。

じゅん子が軽く頭を下げると、谷山も同じ仕草を返した。谷山はいつもと違って、グレーの制服のようなものを着ていた。

「すみません、強引にお呼び立てしてしまって」

「いいえ、いいんです」

渋谷の公園はどこも汚れている。昨夜もここで若者たちが騒いだのだろう。空の缶やペットボトル、スナック菓子の空袋やカップラーメンの空容器が至るところに散乱している。

その中からまだマシな場所を選んで、ベンチに腰を下ろした。

谷山がビニール袋からコンビニの弁当を取り出しながら言った。

「僕、渋谷の駅前に建ったホテルの警備員をしてるんです。この間、厚士くんに、お母さんが渋谷のカルチャーセンターに仕事に行ってるって聞いて、それでその場所と名前を聞いたらうちのホテルとすごく近かったもので、電話してみたんです。急に電話なんかかけて、びっくりされたでしょう」

「ええ、まあ」

「どうぞ、稲本さんも食べてください」

じゅん子も膝に弁当を広げた。子供の残り物を詰めてきただけなので、卵焼きは端ばかりだし、ミニコロッケは皮が破れていて少し恥ずかしい。ただコンビニ弁当と違って、冷めていてもどこか温かさのようなものが残っている。谷山は、昼も夜も、こうしてコンビニ弁当を食べているのだろうか。

あまり話題もなく、ふたりは黙々と弁当を食べた。食べ終えてから、谷山はビニール袋から缶コーヒーを取り出し、一本をじゅん子に差し出した。

「すみません、いただきます」

それから、ついでのようにポケットから小さな包みを取り出した。

「実は、これを渡したくて」

包みには、透き通ったリボンがついている。

「何ですか」

「この間の息子の弁当のお礼と、その前の廃品回収を代わってもらったお礼です」

「そんな、いいんです」

じゅん子は首を振った。

「ご迷惑かもしれませんが、できたら受け取ってもらえませんか。僕と息子の気持ちです」

息子、と言われると無下《むげ》に断れなくなった。谷山の目に促されるように、じゅん子は包みを手にした。

リボンをほどき、薄水色の封筒形の包みを開くと、手のひらにブレスレットが滑り落ちた。銀色のチェーンにいくつもの小さなハートが繋がっていた。

「そういうの、選ぶなんてしたことがないので、気に入ってもらえるか、すごく心配なんですけど」

「可愛いわ」

どころか、可愛すぎる。まだ女の子と呼べる年代にふさわしいものだ。

「気に入ってもらえましたか」

「ええ、とても」

「よかった」

谷山が緊張した顔を崩した。思いがけず人懐《ひとなつ》っこい笑顔になった。

「稲本さん、手が綺麗だから。できたら、その手につけてもらえるものがいいなと思ったんですけど、まさか、指輪というわけにはいかないし。それで、さんざん迷って、それに決めたんです」

じゅん子は谷山に顔を向けた。

「そんな、私の手なんて」

じゅん子は思わず膝の上で隠すように指先を丸めた。

「ふっくらしていて、動きが優雅で、表情があるっていうか。僕ならきっと手を見ただけで、稲本さんだとわかると思います」

似たようなことを、秋生に言われたことを思い出した。自分を誉めてくれたたったひとりの男。隣には、秋生とは似ても似つかない谷山が座っている。秋生に言われた時は、嬉しい反面、からかわれているという気持ちになったが、谷山に対してはどこか余裕を感じた。

「ありがとうございます」

じゅん子は答えた。自分がひどく美しい女になったように思えた。

「また、誘ってもいいですか？」

「え？」

「昼ごはん」

「ああ、はい、そうですね……時間が合えば」

それから一週間のうち二、三回の割合で、公園で一緒に弁当を食べるようになった。だいたい十一時半頃に谷山は電話をよこし都合を尋ね、そのたびに、じゅん子は「昼までの仕事を終えてからなので、十二時十分くらいになります」とか、「午後イチにお客さまがいらっしゃるので、三十分くらいしかいられません」とか、どうでもいいようなことを付け加えながら承諾した。

その日、朝になって、長男の拓巳が今日は弁当はいらないと言い出した。

「四限目に調理実習があって、昼はそれをみんなで食べるんだ」

「だったら、昨日のうちに言ってくれたらいいのに」

もう弁当は包まれている。

「忘れてたんだよ。じゃ、行ってきます」

「傘、持っていきなさいよ、雲行きが怪しいから」

「はーい」

拓巳が玄関を飛び出し、それを弟の厚士が追っていく。

「あなた、お弁当持っていってくれない？」

食卓でトーストを齧《かじ》りながら新聞を広げる夫に言ったが、顔を上げることもなく「いらない」との素っ気ない答えが返ってきた。

「でも、無駄にするのもったいないわ」

「だからって、俺に子供の弁当を持たせるつもりか」

夫の声に不機嫌さが混じる。

「そうじゃないけど」

「昼飯ぐらい外で食いたいんだ。一日中、会社の中にいるんだから、昼に気分転換でもしないとやってられない」

「そうね、ごめんなさい」

じゅん子は子供たちの食器を流しに運びながら短く息を吐き、夕食に食べるしかないかと考えた。それから、ふと思いついた。

もし、今日も谷山から誘いがあったら、谷山はきっとまたコンビニの弁当をぶらさげてくるだろう。これを谷山に持っていったら……。

弁当を二個持ってパートに出掛けたのだが、午前中はひどくそわそわしながら過ごした。電話はかかってくるかもしれないし、こないかもしれない。かかってこなければ弁当は無駄になる。かかってきて欲しいような、欲しくないような、ふたつの思いに揺れていた。

　十一時半、電話が鳴った。谷山だった。

「今日、昼飯は一緒に食べられますか？」

「ええ、十二時十分くらいなら」

「そうですか。じゃあ、いつものところで待ってます」

　谷山は事務的な言い方をした。それが、彼の不器用な性格を物語っているように思えた。

「あの」

「はい」

「今日は、コンビニのお弁当を買わないでくれますか」

　谷山は戸惑ったようにしばらく黙った。

「二個あるんです。本当は子供のなんですけど、調理実習で作るのを食べるとかで急にいらなくなって、持ってきたんです」

こんなことまで言わなくてもいいのに、と自分でも思ったが、ちゃんとした言い訳がなければ収まりがつかないような気がした。

「じゃあそうさせてもらいます」

十二時十分にベンチに行くと、谷山がウーロン茶の缶をふたつ手にして待っていた。

「こんにちは」

じゅん子が言うと、谷山はベンチから立って律儀に頭を下げた。

それから座って弁当を広げた。いかにも子供向きのミニハンバーグや茹でたブロッコリー、バターコーンといった、彩りは綺麗だが大人にはおかずにならないようなものばかりが詰められている。

「うまそうだなぁ」

電話とは違う穏やかな口調で、谷山が言った。

「ごめんなさい、子供のお弁当なんて失礼だと思ったんですけど」

「とんでもない。コンビニの弁当にはもう厭《あ》き厭《あ》きでしたから。いや、あなたの手作りとコンビニを比較する方が失礼だ」

「うまい」を連発しながら谷山は箸を運んでいる。じゅん子は思わず笑みをこぼした。

夫はもちろん、息子たちも、じゅん子の作る料理など当たり前のように食べている。たまに、インスタントラーメンを作ったりすると、そっちの方を嬉しそうに食べたりする。

食べながら、いつものように他愛ない話をした。厚士のクラスに転校生が入ってきたことや、兎の飼育当番が始まったことなどだ。

「道也と、そういうことをあんまり話す機会がないんで、稲本さんにいろいろと教えてもらって本当に助かります」

「こんなことぐらい、何でもないですから」

「そろそろ難しい年頃になってきて、時々、我が息子ながらわからなくなることがあるんです」

「いい子ですよ、道也くん。ちゃんとご挨拶もできるし、うちで遊んでいっても、後片付けを最後までしてくれるのは道也くんぐらい。本当に行儀がよくて、厚士にも見習わせなくちゃといつも思ってるんです」

「それは、行儀がいいというより、家に帰っても誰もいないから少しでも帰る時間を先延ばししてるだけです。すみません、いつも遅くまでお邪魔して」

「いいんですよ、そんなこと」

道也に何度か夕飯を食べていったら、と誘ったことがある。たいてい「お父さんが待ってるから」と首を振った。それが子供なりの見栄と気遣いなのだということがわかるから、切なかった。

「女房に逃げられたってことは、もちろんご存じだと思いますが」

　唐突に言われて、じゅん子は返事に詰まった。

「もう二年になりますか。リストラにかかって、結局会社を辞めることになって、その時、少し荒れたりしたものですから、愛想を尽かされました。情けない男だと自分でも思います。夫としては失格だったから、せめていい父親になりたいと思ってるんですが、なかなか二役はできないもんです。家に帰ると掃除とか洗濯とかに追われて、道也と話すのがつい後回しになってしまって」

「私だって母親をやるので精一杯。谷山さん、よくやってらっしゃると思うわ」

「結局、親の身勝手をみんな道也に押しつけてしまって。あの子には申し訳ないと思ってるんです」

　夫婦が離婚して片親になったケースなどめずらしくも何ともない。拓巳や厚士のクラスにも、三、四人はいる。ただ、経済的には大変だろうが、母子家庭の場合はあまり悲壮感がなく、母親はみな逞しく、仕事も家事もうまくバランスを取って過ごしている。それに較べ、父子家庭というのは、どこか侘《わび》しさがつきまとう。谷山の家庭がその典型かもしれない。

　弁当を食べ終わった頃、ぽつぽつと雨が降りだした。

「あら、雨」

息子たちには傘を持つように言っておきながら、じゅん子自身はすっかり忘れていた。

雨はすぐにぱらぱらと勢いを増してきた。

「あっちに」

谷山が立ち上がった。

「ええ」

じゅん子は慌ててふたつの弁当箱を包んだ。

「さあ」

谷山の腕が伸びて、じゅん子の手を摑んだ。驚いて一瞬手を引いたが、谷山は離さない。

「駐車場に」

そのままふたりで走り、駐車場の庇《ひさし》の中に駆け込んだ。アスファルトの上に、丸いシミが重なっていく。谷山はじゅん子の手を摑んだままだ。

「あの」

「え？」

「手を」

「あっ、どうもすみません」

谷山が慌てて離した。

「いえ」

そう言って目が合った。その瞬間、じゅん子は抱きすくめられていた。

「あ……」

「好きです」

耳元で谷山が囁いた。

鼻の奥に男の匂いが流れ込んでくる。乱暴だが一途《いちず》な力がじゅん子の全身を縛った。

何が起こっているのかわからなかった。同時に、こんなことが自分の身に起こるなんて信じられなかった。谷山がじゅん子に唇を重ねてきた。

じゅん子の手から弁当箱の包みが落ちて、からんと間の抜けた音をたてた。

真以子

ミィがいなくなって二週間がたった。

真以子は部屋の中でぼんやりと過ごしていた。

何をする気も起こらなかった。実際、何をすればいいのかもわからなかった。

予定していた仕事はなくなってしまった。残った仕事だけではとても生活できない。

知り合いを訪ねたり、ツテを頼って連絡を取れば、それなりの仕事は回してもらえるかもしれないが、今は、どうでもいいような投げ遣《や》りな思いが身体の底に重く沈んでいて、それに逆らってまで何かをしようという気になれなかった。

ミィと杉田を失った。

人と深く関わったり、ものに執着したりしなければ、失望を味わうことはないと思っていた。好きな仕事と、心地よい住みかがあれば、穏やかに暮らしていけると思っていた。

そんなのは嘘だった。ただの傲慢な思い込みだった。

杉田やミィがいたからこそ、自分を認識していられた。生活していられた。今の自分は脱け殻そのものだ。

杉田はあの若い妻と、もうすぐ生まれる子供と三人で、当たり前のように暮らしていくのだろう。世の中でもっとも生きやすい家族という単位で、公園やマーケットや遊園地の中に溶け込んでいくのだろう。

人と違う生き方を望んだわけじゃない。ただ、人と同じに生きるには、少し疑り深い女になりすぎていた。気がついたら、向こう岸にあるものを意識しすぎて、無邪気に橋を渡れなくなっていた。

——真以子は、石橋を叩いて、叩いて、自分で叩き割っておいて、ほらやっぱり割れたっていうようなところがあるから。

近頃よく、秋生と言い争ったことが思い出される。どんな時に言われたかは忘れたが、今となってみれば秋生が言った通りだと思うことばかりだ。

「秋生は、始めから架かっていない橋でも、疑いもせずに渡ろうとして川に落ちてしまうタイプね。そういうの、向こう見ずっていうより、あさはかなだけ」

言い返すと、秋生が笑った。

——また今、わざと叩き割ったね。

「何を？」

——僕と、真以子を繋ぐ橋さ。

真以子は秋生から目を逸らした。

「よく言うわ。そんなもの、最初から架かってないくせに」

もう丸三日、誰とも口をきいていなかった。三日前に話したのは杉田だ。あの時杉田は、時間を気にしてか、電話口で少し早口だった。

「そうか、ミイ、まだ帰ってこないのか」

「ええ」

「大丈夫、そのうちきっと帰ってくるさ」

「どうしてわかるの？」

真以子は硬い声を出していた。おざなりな慰めを、杉田から受けたくなかった。そう言っておけば、真以子が今夜もおとなしく過ごしてくれる、呼び出されずに済む、という期待が混じっているように感じた。

「ああ、ちょっと今から仕事の約束が入ってるんだ」

「急いでるの？」

「嘘ね」

「嘘？」

杉田が繰り返した。

「早く、家に帰りたいだけなんでしょう。あの若くて、お腹の大きい奥さんのことが心配でたまらないんでしょう」

「真以子」

杉田の声にため息が加わる。

「そうならそうと、正直に言えばいいじゃない。仕事だなんて、そんな言い訳をわざわざするなんて、私が嫉妬するとでも思ってるの？」

「どうした、真以子。そんな言い方、君らしくないよ」

「らしくないのはあなたの方よ。言い訳なんて、今まで決してしなかったのに」

「だから、言い訳じゃない」

「帰ればいいわ。どうせあなたはいつだって帰る人でしかないんだから」

真以子は電話を切った。

そんな自分の感情を剝《む》き出しにした会話を思い出し、吐き気に似た後悔が胃の奥からせり上がってきた。

それでも、今、電話できる相手はやはり杉田しかいないのだった。わずかな自尊心と、背中にはりついた自己嫌悪から目を逸らし、真以子は受話器を取り上げた。

しかし電話は留守番状態になっていた。携帯にもかけてみたが、同じようなメッセージが流れてきた。

家に帰っているのだろう。あのどうということのない、白い門扉と赤い煉瓦《れんが》が敷かれた家だ。車庫に家族向けの白いセダンが置いてあり、玄関横に花水木が植えてあるあの家だ。あまりに平凡で、前をそのまま通り過ぎ、記憶にも残らないような、けれども、杉田と妻ともうすぐ生まれる子供の人生が詰まった家。

咄嗟《とっさ》に真以子は１０４で番号を調べ、自分が何をしようとしているかを考える前にその数字を押していた。

何度かコールが鳴り、女の声がした。

「はい、杉田です」

妻だ。真以子は息を呑んだ。

「もしもし、どちらさまですか？」

真以子は目を閉じた。妻の背後にある部屋の様子が伝わってくるようだった。すでに用意されたベビーベッド、真新しいコットンの肌着がしまわれたベビーダンス。ベビーベッドの上に色とりどりの飾りがついたメリーゴーラウンド。

「もしもし？」

欲しいものなどひとつもなかった。そのくせ、それらを当たり前のように手にしている杉田の妻が憎かった。

真以子は受話器を置いた。

そうして、今、自分の胸に確かに存在した感情を、唇を嚙みしめながら反芻《はんすう》した。

七恵

「すまなかった」

秀一が困惑の口調で言った。

車は環七《かんなな》と駒沢通りの交差点を過ぎたところを走っている。後ろのシートでは美弥が規則正しい寝息を立てている。

「どうして謝るの？」

七恵はわずかに顔を向けた。対向車のヘッドライトが秀一の横顔を青白く浮かび上がらせている。

「奈保子のくだらない思いつきに付き合わせてしまった」

「そんなことないわ、とても楽しかったわ」

それから付け加えた。

「奈保子さん、お料理、上手なのね」

今夜、奈保子の提案通り、月に一度の美弥との面会を秀一の自宅で行なったのだ。秀一たちが住む瀬田《せた》のマンションは、3LDKの広さで百平米近くある。低層階で、アプローチも玄関もゆったりと造られていて、中庭に面して広いバルコニーがあり、リビングのカーテンを夕暮れの風が柔らかく揺らしていた。

奈保子は手の込んだ料理をテーブルに幾皿も並べた。朝から焼いたというローストビーフ、ハーブがたっぷり入ったサラダ、野菜のキッシュ、枝豆のスープ。デザートは手作りの洋梨のタルトだ。

「妙に張り切ってしまってね」

いちばん喋ったのも奈保子だろう。まだ授乳が必要な雅樹をあやしながら、さまざまなことを話題にした。最近流行のアジアンテイストのインテリアについて、環境破壊と自然食品について、教育について。どれも熱心に話し、それに七恵も的確な返事をしたはずだったが、どれも上滑りな会話ばかりで、残ったものは疲れ以外何もない。

美弥も美弥なりに気を遣っていたのだろう。秀一と会うと、いつも抱っこをせがむのに、今日はまったくしなかった。雅樹を「美弥ちゃんの弟よ、よろしくね」と紹介され、困ったように頬を指でそっとつついていた。

「悪気はないんだ」

「わかってるわ。夫の前の妻や子供を自宅に招待しようなんて、そんなことができる奥さんなんてそういないわ」

いいや、秀一は何もわかってない。この世の中に、悪気のない女など存在するはずがないではないか。

「でも、美弥には少し酷だったかもしれないわ。奈保子さんや雅樹くんに遠慮して、あなたにちっとも甘えなかったもの。それが少しかわいそう」

七恵は後ろの座席を振り返った。よほど疲れたのかよく眠っている。

不意に、秀一の携帯電話が鳴りだした。秀一は胸ポケットからそれを取り出し、耳に当てた。

「ああ、そろそろ恵比寿だ。あと十分ぐらいで着くよ。帰りはすいてるから、たぶんもっと早いさ」

奈保子のようだ。帰りはタクシーを呼ぶつもりでいたのだが、秀一が車で送ると言いだした。最初からそのつもりだったのかもしれない。だから、ワインにもほとんど口をつけなかったのだろう。そんな秀一のことが、奈保子は気になって仕方なかったに違いない。

秀一が電話を七恵に差し出した。

「君にって」

七恵はそれを受け取った。

「もしもし」

「あ、七恵さん。今日は本当に楽しかったわ。満足していただけたかしら。お帰りになってからすごく心配になってしまって。これに懲《こ》りずに、来月もぜひいらしてくださいね。今度は和食にしようと思ってるんです。美弥ちゃん、散らし寿司はお好きかしら」

「ええ、ありがとうございます。きっとまた伺わせていただきます」

「主人、私たちに挟まれて少し気まずそうでしたね。何だか見ていて可笑《おか》しくて」

奈保子の笑い声が耳に広がる。

「今、ご主人と代わりますね」

七恵は秀一に電話を渡した。

「うん、わかった。そうするよ、じゃ」

電話をポケットにしまい、秀一が短く言った。

「ごめん」

「何が？」

「面倒なことに君を巻き込みたくはなかったんだけど」

「あなたたちの間に、何か面倒なことがあるの？」

「ぜんぜんないさ。ただ、雅樹が生まれてから、奈保子、少し気持ちが不安定なんだ。慣れない育児に疲れてるんだろうと思うけど」

「そうね、私もそうだったもの」

かつての自分を思い起こしながら、七恵は答えた。

秀一との結婚を完璧なものにしたかった。家事に手を抜いたことはなかったし、お洒落にも気を遣い、秀一の実家との付き合いにも気を配った。特に美弥が生まれてからは、食事から環境から、すべてのことに目を配り、一歳になった時にはすでに幼稚園受験のことも念頭に置いていた。

何か失敗をしでかすと、今の幸福に傷をつけてしまいそうな気がした。そうなるのが許せず、毎日を躍起《やっき》になって過ごした。今になると、あんなに肩肘張っていた自分を笑ってしまいたくなるが、その時は夢中だった。

それは、たぶん秋生のせいだ。

秋生はひどくだらしないところがあって、部屋はいつも乱雑だった。キッチンにも汚れた食器がたまっていた。訪ねると、つい見兼ねて片付けようとする七恵に、秋生はこともなげに言った。

——そんなことをする時間があるなら、ベッドに行こう。

「どうして片付けないの？」

——どうして片付けなければならないのかな。

「その方が気持ちいいわ、すっきりするじゃない」

——気持ちいいも、すっきりするも、人によってみんな違うんだ。気が向いたら、する。

義務。僕は、たとえどんなことでも、義務を自分に課したくないんだ。

その言葉は七恵を思いがけず動揺させていた。もし、秋生が七恵と付き合うことや結婚に対して、義務という言葉を使えば傷つけられたはずだ。けれども、義務を課さないと言った秋生にもまたひどく失望していた。秋生は必ず自分から去っていく男だ、ということを、その時、確信した。

そして、その通りになった。秋生は唐突に七恵の前から消えていった。

秀一と結婚する時、七恵は自分に義務を課した。妻としての義務。母としての義務。主婦としての、女としての義務。それを果たすことが、結婚という約束事を果たすことでもあると信じた。今にして思えば、馬鹿げた思い込みだ。けれども、あの時の七恵は真剣にそう思っていた。

そうしていつか、そんな自分に疲れ果てていた。たぶん、秀一にも同じ思いをさせていたに違いない。

車がマンションの前に横付けされた。

「ありがとう、奈保子さんによろしくね」

七恵がドアに手をかけた。

「次の面会だけど、気にしなくていいんだ。また三人で会おう」

「でも奈保子さん、それで納得するかしら」

「するもしないも、それは僕たちの約束で奈保子には関係ないんだから」

七恵は車を降り、後ろのドアを開けた。

「美弥、起きなさい、おうちに着いたわよ」

運転席から秀一も降りて回ってきた。

「いいよ、起こさなくても。僕が部屋まで運ぼう」

「でも」

どうしようか、迷った。秀一を部屋に上げたことはない。上げていいものかも、すぐには判断がつきかねた。

そうこうしているうちに秀一は美弥を抱き、マンションの玄関へと向かってゆく。七恵は後を追い、結局、部屋に招き入れた。

美弥をベッドに寝かしつけてから、七恵は肩をすくめて言った。

「驚いたでしょう」

美弥の部屋は、好き放題にシールが貼られ、おもちゃが散乱している。キャラクターグッズも山のようにある。

「うん、まあ」

居間も大して変わりはない。スリッパは先が擦《す》り切れて白くなっているし、出掛けに飲んだ紅茶は、カップもポットもダイニングテーブルの上に置いたままだ。新聞はソファの上に放り出され、観葉植物の葉には白く埃がたまり、床には読みかけの雑誌や、美弥の絵本が積まれている。

「あなたと一緒の時とは大違い。何だか糸が切れたみたいに、どうでもよくなってこの有様よ。外に出る時はそれなりに気取ってるけれど、私、家に帰ればジャージを着てるのよ。美弥もそう。マンガのキャラクターグッズなんて、以前は絶対に買わなかったけれど、今じゃパジャマもベッドカバーもみんなそう」

「確かにちょっと驚いた」

それから「でも」と付け加えた。

「何だか、こっちの方が落ち着くな。というより、生活してるって感じがする」

「ごめんなさいね。あの頃、あなたを少しも寛《くつろ》がせてあげられなくて」

「それは僕も同じさ。君をもっと解放してあげられればよかったのに」

言葉の中に、互いをいたわるようなニュアンスが含まれていた。それは結婚していた時にはなかったものだ。

「さあ、帰って。奈保子さんと雅樹くんが待ってるわ」

「ああ」

玄関先で秀一が靴を履き、振り返った。

「じゃあ、おやすみ」

「おやすみなさい」

ドアを閉じて、七恵はしばらくその場に立ち尽くした。

身体の奥の方で嫉妬に似た感覚がちりちりと音をたてていた。嫉妬であるはずがなかった。そんな感情を持つ権利も、自由さえも自分にはない。

かつてベッドの中であらゆる秘密を共有し合った秀一。にもかかわらず、まるで、そんなことなどなかったように振る舞い、夫でも恋人でも家族でもなく、それでいてこんなにも身近で、まだどこかで共犯者の匂いがする。

別れた夫。

それは、もう二度と、自分にとって男にはならないのだろうか。

佑美

何もせずに過ごす、ということに慣れるのはそう難しいことではなかった。

凪《なぎ》のような時間は、まるで止まっているかのような感覚をもたらしたが、窓から差し込む日差しはやはり少しずつ位置を変え、朝が午後になり、やがて夜が来て、そうしてまた朝が来るのだった。

そんな毎日の中で、膝を丸めるようにひとり過ごしていると、時に、寂しさと孤独に埋もれてしまいそうになる。けれども、そこにもどこか投げ遣りな安らぎがあり、今の自分にはお似合いだと佑美は思っていた。

そう感じられるのは広宗の存在があるからかもしれない。

一週間か十日に一度、広宗と会うようになっていた。

水底に沈んだ生き物が、時折、空気を吸いに水面に顔を出すように、佑美はある時間が過ぎると広宗に会いたくなる。

電話をすると、広宗は静かな口調で日時を口にする。それから「あなたの都合はいかがですか」と尋ねる。予定など何ひとつ持ち合わせていない佑美は、いつも「それで結構です」と答える。そうすると、約束した日の時間通りに、アパートのチャイムが鳴る。

それは月曜の午前十一時だったり、水曜の午後一時だったりして、時々、心配になる。以前「平日でも大丈夫なのですか？」と尋ねた時、「融通の利く仕事をしてますから」という答えが返ってきた。どんな仕事なのかまでは聞かなかったが、広宗がそれでいいなら佑美ももちろん構わない。

会うと、たいがいふたりで歩き、とりとめのない話をし、疲れるとベンチに座り、喉が渇くと缶コーヒーを買ったり喫茶店に入ったりした。お腹がすくと目についた店でごはんを食べた。それは蕎麦屋《そば》だったり、中華料理屋だったり、ファミリーレストランだったりした。時には、ビールも飲んだ。そうしてまた歩いてアパートまで戻り、広宗は「では、ここで」と礼儀正しく言い、帰っていく。

今日もまた、電話での約束通り、木曜日の午後三時にチャイムが鳴った。

秋生の写真の前で手を合わせた後、広宗が振り返った。

「ちゃんと食べていますか？」

これは、顔を合わせた時に広宗がいつもいちばん最初に口にする言葉だ。

「ええ、まあ」

「今日も一日、うちに引き込もっていたんですか？」

本当は本屋へ出掛けたのだが、広宗からこう尋ねられるとつい「はい」と答えてしまう。どういうわけか、広宗のがっかりした顔を見るのが好きだった。

「いけないな。家にばかりいるから、食欲も湧かないんです。また少し歩きましょう」

そう言って、広宗は鞄《かばん》と共に抱えてきた紙袋から、紺色のウォーキングシューズを取り出した。

「それ、どうしたんですか」

「さっき、駅前の靴屋で買いました。革靴じゃやっぱり歩きにくくて」

シューズにはまだ紐が通ってなくて、広宗はそれをやり始めた。紐の長さを二等分にして、最後に長さが違ったりしないよう、弛《たる》み具合を確かめながら几帳面《きちようめん》に穴に通していく。

「先日、スポーツ力学の本を読んだんですが、やはりウォーキングにはそれなりのシューズを履かなければ効果もないし、逆に負荷がかかって膝や足首を痛める結果になると書いてありました」

右が終わって、今度は左のシューズにかかる。

「有酸素運動は、ジョギングやエアロビクスよりも、今はウォーキングがもっとも適切だと言われてるそうなんです。特に心肺機能に関して」

佑美は思わず苦笑した。

「え？」

「ごめんなさい、そんなことを考えて散歩をしたことがなかったものですから」

広宗は小さく息を吐いた。

「そうですね、可笑しくて当然だ。僕は、こういう男です」

「こういうって？」

「何て言ったらいいんだろう」

「慎重で、用心深いってことですね」

「言い換えれば、臆病で、自分を信用していないということです。教科書になるようなものがなければ何も決められない」

それから付け加えた。

「秋生とはあまりに違う」

そう言ってから口籠もった広宗の頬に、わずかに翳《かげ》りのようなものが差した。

「行きましょうか」

「はい」

狭い玄関で、広宗は買ったばかりのシューズに、佑美は履き慣れたスニーカーに足を滑り込ませた。

外はすでに太陽が傾き、空気に独特の重さが感じられる夕方の気配が広がっていた。

「どこに行きたいですか」

佑美はわずかに顔を上げた。

「いつものようにどこにでも。行かなければならないところなんてないんですから」

「そうですね、散歩とはそういうものだ」

通りまで出て、羽根木《はねぎ》公園に向かって歩き始めた。右に井《い》の頭線《かしらせん》、左に小田急線の電車の音を聞きながら、西へと向かってゆく。

「さっきの話ですが」

「ええ」

「あいつは、決まりごとというものを心底拒絶していました」

秋生とはあまりに違う、と言った後に口籠もってしまった話の続きだ。

「小さい時から、あいつにはハラハラさせられっぱなしでした。悪戯《いたずら》もよくしたし、学校をさぼったり、喧嘩したり、その上、何て言うか口が達者というか生意気というか、母親も手をやいてました」

「あなたとは正反対」

佑美は微笑ましい気分になって呟いた。

「ええ、本当に正反対だった。僕は兄として、何度も秋生を叱《しか》りました。でも、そんな時、秋生はよく『なぜ?』と尋ねるんです。なぜいけないのかって。心底不思議そうな顔をするんです」

環七を越える信号の前でふたりは足を止めた。トラックが排気ガスを撒《ま》き散らしていて、少し息が苦しくなる。

「あれは秋生が九歳の頃だったか、遊んでいて、父親が大切にしていた青磁の花瓶を割ってしまったことがあるんです。それを見て、僕はものすごく焦った。父親にひどく叱られるとわかってましたからね。あいつの不注意を責めると、秋生は『割れたものは仕方ない』と言った。『これはもともと割れるようにできているんだから、割れても仕方ないんだ』って」

信号が青に変わり、ふたりは擦れたゼブラ模様を渡り始めた。

「それで、あなたは何て？」

「大切にすれば、永遠に割れないかもしれないじゃないかって言いました」

「ええ」

「そうしたら秋生は、永遠に割れない花瓶なんてこの世にあるはずがない。いつか割れる。割れるように作ってあるものは必ず割れるんだって言い張った」

佑美の知らない幼い秋生の姿が、想像と同じだったことを、とても幸運に感じた。

「秋生さん、お父さまに叱られました？」

「ええ、ひどく。でも、あいつはけろっとしてましたけどね」

佑美はくすくす笑った。

「でしょうね」

「結局、僕は最後まで秋生にはかなわなかった」

声にわずかな硬さが帯び、佑美は少し困った気分になった。

「こう言っては何ですが、成績もスポーツも、周りの信頼も親の期待も、僕の方がずっと上だった。けれども秋生を見ていると、自分がひどくつまらない人間のように思えてならなかった。秋生が、何ひとつ、僕を羨んでいないということがそれを証明していました。僕はそのたびに傷ついていた。傷つくなんて、その時は決して認めませんでしたけど」

広宗が短く息を吐く。

「大学生の時、あいつはちょっとした問題を起こして姿をくらましたんです。それから家には帰らなくなってしまいました」

「助教授の奥さんと駈け落ちした、あのことですか」

「知ってるんですか」

「ええ、秋生さんから聞きました」

広宗の言葉から緊張が抜けた。

「そうですか。そんなことまであいつは喋ったんですか。まあ、いかにもあいつらしいです。とにかく、それで勘当されて、結局それきりになってしまったんです。でも、あの時、僕はどこかでホッとしていた。もうこれで、秋生のあの軽蔑を含んだ眼差しを見なくていいと思うと、何て言うか、解放されたような気分だった」

「軽蔑だなんて」

「いや、確かに秋生は僕を軽蔑していた」

「私、秋生さんから、一度だけ、あなたのことを聞いたことがあります」

広宗は一瞬黙り、それから彼にはあまり似合わない皮肉な声を出した。

「何て言ったか、想像はつきますが」

「想像って？」

「たとえば、所詮、常識の枠の中でしか生きられない退屈な男、というような」

佑美は少し悲しくなった。

「いいえ、こう言ってました。『兄貴は何でもないような顔をしてちゃんと悪役を引き受けられる男だ』って」

「秋生が？」

「ええ。それから、『自分は兄貴がいたから好きに生きられた』なんてことも」

不意に、広宗が足を止めた。

「秋生さん、あなたが好きだったんです」

佑美は肩ごしに振り向いた。

「そんなはずはない」

広宗の顔が強張《こわば》っている。

「そんなこと、あるはずがない」

広宗がひどく狼狽《うろた》えた声で言った。

協子

課長から内示があった。

「来月の人事異動で系列の配送センターへ出向してもらうことになった」

必要な言葉以外、たとえ小さな息継ぎさえも付け加えない、というような簡潔な言い方だった。

突然の通達で、協子は咄嗟に何と言っていいのかわからず、しばらく黙った後、小さく「はい」と答えて席に戻った。デスクに手を置き、パソコンの画面に目を向け、やりかけの仕事を再開して、ようやくその意味が頭の中で形になった。

顔を上げると、部下の女の子たちが一斉に机に目を落とした。その様子から、すでに誰もが知っていたことに気がついた。もしかしたら今日まで知らなかったのは、協子だけだったのかもしれない。

出向の内示に思い当たるフシはひとつしかない。結婚せずに子供を産むことだ。

もちろん、そのことで何らかの影響があることは、覚悟していたつもりだった。

不況の中、会社はリストラに力を入れていて、配属替えに転勤、出向と、月に何回も通達がメールで送られてくる。この間は退職希望者も募った。

それでも、自分がその対象者になるとは、正直なところ、考えてもいなかった。

今年で勤続十五年になる。強くキャリアを意識してきたわけではないが、与えられた仕事は責任を持ってやってきたという自負がある。もちろん女であることを言い訳に使ったことはないし、武器にしたこともない。

出産した女性たちも多く勤めを続けている。確かに、彼女らは結婚という形があってこその出産かもしれない。しかし、仕事をするという点で何が違うというのだろう。父親となるべき人間がいないことで、いったい会社にどんな不利益を与えるというのだろう。現に、離婚して、子供を引き取った女性も働いているではないか。

課長もいつも言ってくれていた。

「君は本当によくやってくれるから助かるよ」

それを誉め言葉と思ってきた。

本当にそうだったのだろうか。今となってみれば、単に、会社側にとって都合よく扱える社員というだけだったのではないだろうか。

それから二日。退社後、会社の玄関を出たところで声をかけられた。

「仲井さんですよね、地上サービス課の」

協子とほぼ同年代と思われる女性が立っている。肩まであるストレートの髪が少しぱさついていた。目の表情がきつく感じられるのは、アイラインを強く引いたメイクのせいばかりではないように思えた。

「そうですけど」

「私、池上明子といいます」

「ええ」

話したことはないが、長く勤めていればほとんどの社員の顔と名前ぐらいは知っている。

「仲井さん、今度、配送センターに出向を命じられたんでしょう」

どう答えていいものか迷った。まだ内示の段階だ。

「人事課の友人から話を聞いたの。ひとりで子供を産むって噂ももう広がってるわ。そういう情報って瞬く間だから」

さほど驚かなかった。確かに彼女の言う通りだ。社の株価がどれほどをつけているのかは知らなくても、どこの部署の誰の結婚が決まったとか、誰と誰が社内恋愛をしているとか、不倫に陥っているとか、そんな噂は、エアコンディショナーの風のようにロッカー室や給湯室を駆け巡る。

「こんなこと言っては何だけど、今回のあなたへの社の対応は、あまりに横暴なやり方だと思うのよ」

彼女はいくらか興奮した口調で言った。

「それで、あなたは承諾したの？」

協子は困惑しながら答えた。

「承諾も何も、会社から出向を言い渡されたのだから、それに従うしか……」

「そんなことないわ」

彼女は強く遮った。

「何もかも、会社に従わなくちゃならないって法はないわ。受けるこちら側にも権利ってものがあるんだから。それでね、そのことで少し話をしたいの。時間、あるかしら。どこかでお茶でも飲まない？」

気圧《けお》されるように協子は頷き、少し歩いて、駅前の喫茶店に入った。

ソファに腰を下ろし、それぞれに飲み物をオーダーするやいなや、彼女は身を乗り出した。

「だからね、私が言いたいのは、不当な理由での異動は受けることはないってことなの。あなたがシングルマザーになるのはプライベートの問題で、仕事に何ら関係も、支障もないわけでしょう。なのに、会社側は配送センターに出向させようとしている。それは明らかに不当なやり方なんだから、拒否していいのよ」

飲み物が運ばれてきて、コーヒーを口に運ぶといくらか落ち着いたのか、彼女は声を和らげた。

「急に、まくしたてるような言い方をしてしまってごめんなさい。こんなこと言うのも、私自身がすごく後悔してるからなの。あの時、どうしてもっと戦わなかったのだろうって、あんな理不尽な異動なんか受け入れなければよかったって、今も時々眠れなくなるぐらい悔しくなるの。だから、あなたにはそうなってもらいたくないのよ」

協子はカフェオレのカップに手を伸ばした。

「私のこと、知ってるでしょう?」

どんな顔をすればいいのかわからず、協子は言葉を濁しながらカフェオレを口にした。

「詳しいことまでは」

「いいのよ。社内で不倫騒動を起こして、倉庫に飛ばされたって経緯は、みんな知ってることだもの」

確かあれは一年ほど前だ。社内不倫などよくある話だが、運が悪いというか、タチの悪い誰かの標的にされたというか、彼女の場合、暴露という形で社内中にメールが流された。ご丁寧に、男の出張に彼女が同行した写真まで添付されていた。そうなると、さすがに会社側も黙っていられなくなったということだ。

「メールの犯人が誰かなんてことは、どうでもいいの」

奥さんだとか、もうひとりの不倫相手だとかいう噂も流れていた。

「もちろん腹は立ったけれど、事実なんだから仕方ないと思ったわ。で、二ヵ月後に私は広報部から総務課所属の倉庫管理に異動よ。でもね、彼はいっさいお咎《とが》めなしだった。

確かに大阪の支社に転勤になったけど、コースからはずされたわけじゃない。あと一年もすれば、本社のかなりのポストに戻ってくるわ。ねえ、あんまりだと思わない？　どうして女ばかりが割を食わなければならないの。私だけが制裁を受けるなんて、差別としか思えない。そうでしょう」

「ええ」

曖昧に協子は頷いた。

「シングルマザーになることで、あなたが配送センターに出向になるって話を聞いた時、今度こそ許せないって思ったわ。まだやるつもりなのって。簡単に受け入れちゃ駄目よ。それは会社の横暴なんだから、そんな命令は絶対に拒否しなくちゃ」

「でも、拒否なんてしたら、会社にいられなくなるんじゃないかしら」

「そうなれば裁判よ」

いとも簡単に彼女は言った。

「裁判……」

「そう。実はね、今まで不本意な異動を強制されたり、退社に追い込まれたりした女性社員が何人もいるの。私はそういう人たちにも声をかけるつもりでいるの。組合なんか何の役にも立たないわ。その方面に強い弁護士も調べてあるの。あなたが決心してくれたら、会社を罰してやることができるのよ。いつまでたっても割を食うのは女ばかりなんて許せない。ねえ、戦いましょうよ。黙って受け入れるなんて悔しいじゃない」

彼女とは駅で別れ、いつものように電車に揺られながら家に帰った。居間に入ると、父がソファで新聞を読んでいた。

「ただいま」と声をかけたが、顔を見ようともせず「ああ」と短い返事が返ってきた。

妊娠を打ち明けてから父はずっとこんな状態だ。出ていけ、と言われないだけマシと思っているが、世間や常識からはずれることを嫌悪する父にいっそう言われるかわからない。

協子はキッチンに顔を覗かせた。

「ただいま」

「おかえりなさい」

母が夕飯の支度を整えている。一時は取り乱した母だったが、今は以前とほとんど変わりない。もう諦めたのかもしれない。

「お母さん」

「なに？」

「私、仕事が替わるみたいなの」

青菜を切っていた母が手を止め、顔を向けた。

「異動？」

「まあ、そんな感じ」

「どこ？」

「系列会社の配送センターに出向ですって」

母の表情が曇った。

「今までとはぜんぜん違う仕事じゃない」

「まあね」

「それは今度のことに何か関係しているの？」

母がそう言うのは当然だろう。協子は明るく答えた。

「ぜんぜんないことはないかもしれないけど、こんな時代だもの、出向なんてめずらしくないわ。リストラなんて当たり前に行なわれてるんだもの。それに、拒否しようと思えばできないこともないみたいなの。今日、聞いたんだけど、正当な理由がない異動は拒否できるの。そういう権利がこっちにもあるんですって」

「そうなの」

母は少し困ったような顔をして、ふたたび青菜を切り始めた。

「とにかく、着替えてらっしゃい」

協子は二階に上がり、自室に入った。ジャケットを脱ぎ、スカートのホックに手をかけた。ウエストはすでに五センチほど太くなっていて、もうホックはかからないし、ファスナーも途中までしか上がらない。ホックは太ゴムを使ってうまく調整し、ファスナーの方は長めのジャケットで開いた分を隠している。これがいつまで通用するかはわからないが、マタニティドレスを着るのはできるだけ避けたいと思っていた。

今日、池上明子から話を聞いたといって、何かを決めたというわけではなかった。けれども、彼女の言葉に力付けられたのは確かだ。出向を聞かされた時、やはりショックだった。子供をひとりで産み、育てると決心して、いっそう仕事に打ち込もうと考えていた矢先だったから尚更だ。

系列会社の配送センターは、都心からはずれた場所にある。数年前に出向いたことがあるが、働く女性たちはほとんどがパートで、近所の年配の主婦ばかりだった。作業着に身を包み、運び込まれてくる段ボール箱や紙包みなどを仕分けしていた。トラック運転手や作業員が、言葉遣いも荒く、大声で何かを言い合っていた。事務所は狭くて、今時めずらしいくらいダサい事務服を着た事務員が、やる気のなさそうな表情で伝票をめくっていた。

あの場所に行かされるのか。本社で主任という肩書きまで持っていた自分が。

同僚や後輩たちは何て思っているだろう。やりがいのある仕事ね、と羨んでいた友人や知人たちは何と言うだろう。

――プライドが許さない、というわけか。

秋生の声が聞こえたような気がして、思わず振り返った。ドレッサーの鏡に自分の姿が映っている。協子はその前に腰を下ろし、自分と向き合った。

　秋生と付き合っていた頃、一度、大喧嘩をしたことがある。理由はすっかり忘れてしまったが、協子が「プライド」という単語を口にした時、秋生がまるで軽蔑したように笑ったからだ。それは協子の気持ちをひどく逆撫でした。

「秋生にはわからないかもしれないけれど、私には私のプライドってものがあるの。それを捨てたら、私じゃなくなってしまうのよ」

――捨ててしまえよ、そんなもの。

いとも簡単に秋生は言った。

――それを捨ててなくなるような自分なら、最初から自分なんてなかったってことさ。余計なものはみんな捨てる。捨てて、捨てて、全部捨てて、そうしたら最後にどうしても捨てられないものが残る。それが本当のプライドだろ。あとは所詮、ゴミみたいな虚栄心だ。

鏡の中には、返す言葉に詰まったあの時と同じ顔をした自分がいた。

夕食を終えて後片付けをしていると、居間から父の声がかかった。

「会社、辞めたっていいんだぞ」

泡のついたスポンジを手にしたまま、協子は振り返った。父は背を向けたままテレビを観ている。出向のことを母から聞いたのだろう。

「やりたくもない仕事なら我慢することはない。おまえの面倒ぐらい……」

と言ってから、父は少し早口で言い直した。

「おまえたちふたりの面倒ぐらい、みてやれる。それぐらいの貯えはあるんだ、心配することはない」

胸が熱くなった。それは父の初めての容認の言葉だった。

「ううん」

協子は首を横に振った。

その時、ぐずぐずしていた気持ちが、はっきりとした形になっていた。

「お父さん、私、配送センターに行くわ。大丈夫、いやいや行くわけじゃないから。働ける場所があるなら、どこでだって働くわ。それくらいは大人になったのよ、私も」

「そうか」

父の肩が少し揺れたように感じた。

翌日、池上明子と会い、昨日の申し出を断った。

同じ喫茶店の同じ席だ。彼女は不満そうに眉を顰《ひそ》め、コーヒーを口にしながら硬い声で言った。

「つまり、会社の言いなりになるのね。あなたはその横暴を受け入れるのね」

何と答えていいか、うまく言葉が見つからなかった。何を言っても今の自分の気持ちを正しく伝えられそうになかったし、たとえ伝えられたとしても、彼女を納得させられるとも思えなかった。

「ごめんなさい、期待に応えられなくて」

「がっかりだわ。これで会社を変えられると思ったのに」

彼女は苛々《いらいら》した口調で言った。

もしかしたら彼女は、会社や相手の男に対する自分の鬱憤《うっぷん》を、私を使って晴らそうとしていただけではなかったのか、そんな思いが胸をかすめたが、余計な気を回すのはやめようと思った。私を慮《おもんぱか》ってくれてのことなのだと、素直に受け取ろうと思った。

「いろいろとありがとう。協力はできなかったけれど、私、嬉しかったわ。出向の話が出てから、会社の人たちは誰ひとり私と目を合わせなくなってしまったの。こんなふうに真剣に考えてくれる人がいてくれたっていうだけで、何だか励みになったわ」

彼女はいくらか上目遣いに薄く笑った。

「いいのよ、気にしないで」

と言い、後は無表情になって喫茶店を出ていった。

一週間後、正式な辞令が下った。

協子は引き継ぎを済ませ、私物の入った紙袋を提げて会社を出た。別れに際して、部下だった女の子たちが泣いてくれたのにはちょっと感動した。

「元気な赤ちゃんを産んでください」

と言われ、気負うことなく「ありがとう」と答えられたことが嬉しかった。

見上げると、目に染みるような青空が広がっていた。いつの間にか季節は過ぎて、上空には北からの冷たい風が流れ込んでいる。協子はお腹の中の子供にも届くように、深くゆっくりと息を吸い込んだ。

七恵

夕食が終わり、美弥を風呂に入れて寝かしつけてしまうと、七恵は居間のソファに座って、煙草を吸い始めた。

煙草を覚えたのは最近だ。若い頃に意気がって何度か吸ったことはあるが、たまにのことで習慣になることはなかった。何より、髪に臭いが移ったり、歯がヤニに染まるのがいやだったし、品よく生きたい女には似合わないと敬遠していた。

今、煙草を吸うと、落ち着いた気分になる。ぼんやりする、ということに集中できるような気がする。

お酒もそうだ。今では生活になくてはならないものになっていた。もっぱらワインだが、かつてはボトルの三分の一も飲めば十分だったのが、週末などは一本を空けてしまうこともある。

今夜も少し飲みたい気分だった。明日の朝はいつものように、七時半に美弥をスクールバスの停留所まで送らなければならないし、午後にはビーズ教室もある。

酔うとまずいな、と思ったが、結局ワインを抜いていた。

ワイングラスを使うのは面倒で、ロックグラスになみなみと注いだ。ソファに横座りになって、口にした。千円ちょっとのワインだが、そう悪くない。

煙草とワインで、頭の中の細胞が溶けだしていく。

やらなければならないことがあるのはわかっていた。散らかった部屋や、キッチンに出してある食器や、乾燥機の中に入れたままになっている洗濯物、それらのことをいったん考えたが、すぐにどうでもいいと思った。いつもというわけじゃない。やる時はちゃんとやっている。

以前はもっとこまめに片付けていたが、今はまとめてやるようになっただけのことだ。その方が効率がいいし、節約にもなる。ただ、その間隔が少しずつ長くなっている、ということはあまり考えないようにした。

家事は嫌いじゃなかった。むしろ、好きな方だったと思う。結婚していた頃はもちろん、離婚してもしばらくの間は、部屋の中をぴかぴかに磨き上げていた。料理も手の込んだものを作ったし、美弥には手作りの服を着せていた。

いつから、そういったことへの興味が失われてしまったのだろう。何もかも面倒でたまらなくなった。やる気が失せた。

もしかしたら、秀一から再婚すると聞かされた時かもしれない。

離婚はもちろん同意の上のことだったが、七恵の方は別れてもなかなか気持ちを切り替えられずにいるのに、秀一はちゃんと別の女と付き合い、恋愛なんてものを楽しみ、再婚までするという。

その時、離婚後も結婚していた頃と同じような義務を自分に課していることに気付いて、笑ってしまいたくなった。同時に、筋違いだとは思いながらも、秀一に対して腹立たしさを募らせた。当然、彼女とやることもやっているのだろう。

七恵は離婚してからセックスは一度もない。最初の頃はそんなことが世の中にあることすら忘れていた。けれども、ふと、鏡の中の自分を見て、身体の中に冷たい雫《しずく》が落ちた。

そこには、確実に若さを失いつつある自分が映っていた。いったん気がつくと、それは加速度を増して顔のあちこちに見て取れた。小ジワは化粧水のパッティングだけではもう戻らない。シミは日毎《ひごと》に濃さを増していく。少し寝不足をしただけで目の下にはクマが浮かび、ブローの最中には白髪を見つけてしまう。無意識に「よいしょ」と呟いたり、若い女の子の集団とすれ違う時はつい眉を顰めたりする。

自分が年を取ることを怖がるようになるなんて、思ってもみなかった。むしろ、二十代の頃は自分の若さが鬱陶《うっとう》しかった。ファッション誌は、自分の年代をターゲットにしたものには興味が湧かず、むしろ、母が読むような雑誌ばかりを見ていた。優雅で華やかで知的なマダムを見るたびに、そうなりたいと憧れた。

今は、若さばかりを意識している。年を取った優雅なマダムより、たとえ安っぽくて品がなくても若さに惹かれる自分がいる。

ワインをもう一杯注いだ。酔いがどんどん回っていく。

そうして、あの夢。狂おしいセックスをしている夢を見るようになったのも、自分の中から若さが失われていくことを意識し始めた頃からだ。

あの夢から覚めると、七恵はひどく孤独になった。人前ではどれほど気取ってみせても、自分自身はごまかせない。心の奥底は残酷なほどに、男が欲しい、と叫んでいる。

翌朝、七恵は美弥に起こされるまで気がつかなかった。ソファでそのまま眠り込んでしまったらしい。

飛び起きて、朝食の用意をした。その間、ずっと背中がぞくぞくしていた。あんなところで寝てしまったので風邪をひいたのかもしれない。とにかく洗面所で化粧をし、髪にドライヤーを当てた。スクールバスには美弥の他にあと三人が同じ停留所から乗ることになっていて、そのお母さん方とも顔を合わせなければならない。化粧や髪に手を抜くことはできない。七恵が離婚したことは当然知られていて、ただでさえ興味本位の目を向けられるので、みっともない姿など見せられるはずがなかった。

「ママ、制服のボタン、取れちゃった」

ダイニングから美弥の声が聞こえる。こんな時に限ってこれだ。

七恵は洗面所から飛び出した。

お昼に、渋谷に出た。

このカルチャーセンターでの教室は、今はほとんど七恵に任せられるようになっていた。

少し早めに着いたのでデパートをぶらついていたが、教室の時間が迫り、近道をしようと円山町《まるやまちょう》を抜けることにした。この辺りはラブホテル街で、建物の前には、休憩いくら、泊まりいくら、ただいまサービスタイム、などというプレートが掲げられている。日中というのに、今から入ろうとしているカップル、出てきたばかりのカップルが当たり前のように歩いている。男と女の組み合わせも、高校生のような子供からサラリーマンらしい中年男、人妻らしき女性とさまざまだ。中年男と女の子のカップルもいれば、時には、老人とその孫のようなふたりというケースもある。

どうにも落ち着かない気分になって足早に抜けていくと、路地から出てきた女性とまともに顔を合わせた。

どこかで会ったことがある、と思い、すぐにカルチャーセンターの事務をしている女性だということに気がついた。

「あら、こんにちは」

「あ、どうもお疲れさまです。今日、午後の授業ですよね」

彼女はにこやかに言った。

名前は確か、稲本といったはずだ。今はいつものネームプレートをしていないが、そう記憶している。

「ええ、そうなんです。何だか、変なところで出くわしちゃいましたね」

「本当に。でも、ここ、近道ですから。私もこの先にある銀行にちょっと行ってきたんです」

「私もデパートに」

わざわざ言うのも言い訳がましいが、妙な誤解は受けたくない。

ふたりは肩を並べて歩き始めた。

「あの、実は私、以前に鹿島さんとお会いしたことがあるんですよ。覚えてらっしゃらないと思いますけど」

「あら」

七恵は思わず彼女を見直した。

「ごめんなさい、どちらでかしら」

「高瀬秋生さんのお葬式です」

驚いた。

「秋生とお知り合いだったんですか？」

「何度かお会いしました。秋生さんの奥さんと一緒に仕事をしていたものですから。それで」

「あの佑美さんて方、センターに？」

「ええ」

「そうだったんですか」

七恵は、通夜と葬式の時に秋生の棺の前で血の気のない頰を緊張させながら、機械仕掛けのように礼儀正しく弔問客に頭を下げていた佑美のことを思い出していた。

秋生が最後に愛し、最後に暮らした女。

あの時、秋生の突然の死に、悲しみと驚きで声も出ないくらい動揺していたが、どこかで佑美に対して嫉妬のようなものを感じていたのも確かだ。愚かなことに、秀一とこんな結末を迎えるなら、秋生と結婚していればよかったとさえ思った。秋生の死を看取るというのは、秋生という男を知っている女なら、誰もが一度は「自分でありたい」と願ったことがあるはずだ。秋生はそんな男だった。

もちろん、離れていったのは秋生であって、七恵ではないのだから、望んでも叶わなかったことには違いない。

「それで、佑美さんはその後、いかがお過ごしですか？」

「結局、仕事も辞めてしまって、今は家にひとりでいるみたいです。何でも、保険金が入ったとかで」

「そうですか」

秋生と保険金というのがそぐわない気がしたが、現実はそうなのだろう。彼女にも生活というものがある。

やがてセンターに着き、七恵は挨拶をして彼女と別れ、受け持っている教室へと向かった。

その日の夕方から、咳《せき》が止まらなくなった。

本格的に風邪をひいてしまったらしい。とにかく美弥に夕食を食べさせ、風呂に入れて寝かしつけた。首から背中にかけてぞくぞくする。熱を測ってみると、三十八度五分もある。七恵も早々にベッドに潜り込んだ。

急速に身体が力を失っていくのを感じた。息が苦しい。時間の感覚はなく、自分が眠っているのか起きているのかもよくわからなくなった。ひどく不安で、心細さだけが意識を覆っている。悪寒《おかん》はまだ続いていて、熱はもしかしたらもっと上がっているのかもしれない。

ゆうべ、ソファなんかで寝てしまった罰だ。いいや、ゆうべのことだけじゃない。もうずっと続いている今のだらしない生活の罰《ばち》が当たってしまったのだ。ごめんなさい、神様。明日から掃除は毎日しますから。汚れた食器はマメに洗いますから。洗濯物も乾いたらすぐに畳んでタンスの中にしまいますから。だから、熱を下げてください。この苦しさから解放してください。ごめんなさい、ごめんなさい。

「いいんだよ」

不意に、現実的な声が聞こえて七恵は目を覚ました。

目の前には、神様ではなく、秀一の顔があった。

「どうして……」

掠れた声で尋ねた。

「美弥から携帯に電話があったんだ。ママが苦しそうだから助けてって」

「今、何時？」

「十一時を少し回った頃」

七恵は起き上がろうとした。

「いいんだよ、寝てろよ」

「でも」

「いいから。美弥はちゃんと寝かしつけたから心配することはないよ」

言われて、七恵は再びベッドに横になった。

「風邪らしいということだったんで、とりあえず薬を買ってきた。症状がわからないから、薬局にあるのを種類別で全部もらってきたよ。あと、ビタミンCのサプリメントと、熱冷ましにおでこに貼るやつと、胸に塗ると鼻がすうっと通るというのもある。ところで夕飯は食べたのか？」

「ううん、まだ」

「だと思って、スープも買ってきた。湯を注ぐだけのと缶詰がある。コーンにミネストローネにコンソメ野菜、それから中華風というのもある。食欲はないかもしれないけれど、食べた方がいいよ。薬を飲むなら、なおさらだ」

「そうね、じゃあコンソメ野菜をもらおうかしら」

「待っててくれ、すぐに作ってくるから」

秀一は寝室を出ていった。

七恵はぼんやりと天井を眺めた。目が覚めて秀一の顔が目の前にあった時、すごく嬉しかった。いちばんいて欲しい人がちゃんといる、という感じだった。そんなことを思う権利さえ自分にないことはわかっているが、今夜は風邪に免じて甘えさせてもらってもいいような気がした。

じきに秀一がスープを持って部屋に入ってきた。枕を背もたれにして、七恵を起き上がらせ、カップを差し出した。

「ありがとう」

七恵はカップを受け取り、両手で包み込むようにして飲んだ。温かさが沁《し》みた。

「うまいか？」

「ええ」

「よかった」

「奈保子さんはいいの？」

「うん」

「黙って来たの？」

「美弥から連絡があった時、まだ社にいたからね。わざわざ言うこともないだろうと思って」

「ごめんなさい」

「君が謝ることじゃないさ」

「何かあった時のために、あなたの携帯電話の番号を美弥に覚えさせてあるの。よほどのことがない限りかけてはいけないって言っておいたんだけど」

「美弥が目を覚ますぐらい、君がうんうんうなされてたんだ。美弥にとっては、よっぽどのことだったんだよ。それから、よっぽどのことなんかなくても、かけてくれて構わないからね。娘が父親に電話するのに、遠慮なんかいるはずもない」

秀一の言葉に、思わず涙ぐみそうになり、七恵は慌てて顔をそむけた。

「もう、私は大丈夫だから早く家に帰って」

引き止めてはいけない。

「そうか。じゃあ、そうしよう。薬、ちゃんと飲むんだよ」

「わかってる」

「それじゃ」

秀一が寝室を出ていく。そのあっさりと背を向けた様子に、見放されたような気になる。少しして玄関ドアの閉まる音がした。

もう聞こえるはずがない、その時になって、七恵はその言葉を口にした。

「行かないで」

じゅん子

朝、いつものように夫と息子ふたりを慌ただしく送り出した。

それから朝食の後片付けを終え、簡単に化粧をし、自分の弁当を持って、じゅん子は家を出た。

途中でゴミを出し、出会った近所の奥さんと朝の挨拶を交わし、足早に駅に向かって歩きながら、昨日は危なかった、と考えていた。あんなところで鹿島七恵と会うなんて予想もしていなかった。谷山と一緒にホテルを出なくてよかった。もしふたりで歩いていたら、場所が場所だけに、言い訳はできなかっただろう。

それにしても、とじゅん子は思う。

まさか、谷山と関係を持つようになるとは考えてもいなかった。

雨に降られたあの日、駆け込んだ駐車場で抱きすくめられた。激しいキスに、自分でも何が起こっているかよくわからないまま、求められているという優越感と、もう長い間経験してなかった、いや、もしかしたら一度も経験したことのなかった恍惚《こうこつ》感が、じゅん子を包んでいた。

そのことがあってから一週間、谷山から連絡はなかった。その期間は、じゅん子を冷静にするどころか、頭の中を谷山でいっぱいにしてしまった。どうして電話をかけてこないのだろう。もしかしたら、抱きすくめた時の身体の感触や、キスした時の反応に、谷山は失望したのかもしれない。男と何かが起きる、などということとは無縁に生きてきた。緊張感をなくした身体はすでに中年の体形だし、キスの仕方などとっくに忘れてしまっていた。

もうひとりの自分は「これでよかった」とも思っていた。今の生活を脅《おびや》かすつもりはない。自分には上出来の夫と子供たちだ。もう会わない方がいい。谷山から連絡がないのはむしろ好都合ではないか。

けれども、一週間後、受話器の向こうにその声を聞いた時、じゅん子は自分がどれほど待ち焦がれていたかを痛感した。

「会いたい」

谷山の掠れた声に、じゅん子もまたひりつくような思いで答えた。

「私も」

昼休み、約束の公園に行くと、谷山は「ふたりになれるところに行かないか」と言い、じゅん子は「ええ」と頷いた。そうして弁当を持ったまま、ラブホテルに入った。

一度、入ってしまえば躊躇《ちゅうちょ》は消えた。それからはだいたい週に一度、昼休みか、時にはパートが終わってから慌ただしくホテルで抱き合った。

谷山とセックスするようになってから、じゅん子はいつも驚いてばかりいる。自分がそんなことをされたり、自分がそんなことをしたり、自分の身体がそんなふうになったりするなんて、少しも知らなかった。

更に驚いたことに、夫に対して、少しの罪悪感もないのだった。それは、谷山とのセックスが深い恍惚をもたらせばもたらすほど、稀薄《きはく》になっていくのだった。

定刻通りに仕事場に着くと、課長の沢田未知子から呼ばれた。

「稲本さん、こう言っては何だけど、最近、少し時間にルーズになってるんじゃないかしら」

未知子は不機嫌な時、いつも唇の右の端を上げる。それを見ながら、じゅん子は黙った。

「昼休み、二十分とか三十分とか遅れる時があるでしょう。どうしてかしら」

「すみません」

「何か理由があるの？」

「いえ、別に……つい、遅れてしまって」

「つい、じゃ困るのよ」

「あの、休み時間が超過した場合は、次の日にその分を削るようにしています」

未知子は露骨に眉を顰めた。

「そんな、あなたの都合ばかり聞くわけにはいかないのよ」

「はい」

じゅん子は身体を小さくした。

「昼前に電話がかかってくると、たいてい遅れるのね」

未知子の目が探りを入れているように思え、じゅん子は緊張した。何か気付かれているのだろうか。

「いえ、そんなことは」

「とにかく、これからは気をつけてください」

「わかりました。申し訳ありませんでした」

じゅん子は席に戻り、息を吐き出した。

たかが、週に一度ぐらいのことではないか。三十分ばかり遅刻しても、他のパートと話をつけて、うまく帳尻を合わせている。昼休みは誰もが買物や歯医者通いをしていて、そこら辺りは持ちつ持たれつになっている。今までもずっとそんな感じでやってきて、苦情は出ていないはずだ。

そういう融通の利かないところが、未知子には昔からあった。年を取るにつれ、独身が長くなるにつれ、いっそう顕著になってきたように思う。

それでも、上司の未知子に睨《にら》まれたら、パートなどひとたまりもなくクビになる。これから気をつけなければ。どんなに谷山に引き止められても、一時までには席に着いていなければ。

真以子

ミィのことはもう諦めるべきだとわかっていた。

内猫として飼っていたミィが、こんなに長い間、外で生きていられるわけがない。交通事故に遭うか、餓死するか、凍死するか。

それがわかっていても、真夜中、無意識のままベッドのいつもの場所にミィのぬくもりを求めて手を伸ばしてしまう。どれだけ探っても、あるのはひんやりとしたシーツの感触ばかりで、ようやく目を覚まして気がつく。もうミィはいないのだ。

机の上には薄く埃がかぶっている。仕事がなくなって、使う必要もなくなっていた。今は、わずかな貯えを切り崩して何とか生活しているが、あと三ヵ月もすれば底をついてしまうだろう。

夕方、杉田から電話が入った。仕事のことを心配するものだった。

「今月号で休刊になったあの雑誌、真以子も関わってたんじゃなかったのか」

「そうだけど、別に平気よ。他にもいろいろと注文はあるから」

弱みを見せたくないのは、つまり、杉田に「アテにされたら困る」と警戒されたくないからだ。そんなことを言われて、傷つくのがいやだからだ。こうやって、どんどん自分は先回りし、用心深くなってゆく。

「ならいいけど」

「あなたは？」

「それが、ちょっと、大きな仕事にとりかかるかもしれないんだ」

「そう」

「そうなると、忙しくなると思う。なかなか連絡を取ることもできなくなる」

もともと、そんなにこまめに連絡をくれていたわけじゃない、と言い返したくなった。それも結婚してからは尚更だ。大きな仕事というもの自体が言い訳なのかもしれない。

「いいのよ、気にしないで」

「何かあったらいつでも電話しろよ。俺もするから」

嘘つき。そんなことされたら困るくせに。

「ええ」

「じゃあ」

あっさりと電話は切れた。

することがない、というのは、考えるのに十分な時間がある、ということでもある。それも、愚かで馬鹿げたことばかりを考える時間だ。

真以子はしばらくして受話器を取り上げた。

かける相手は決まっていた。おとといもかけた、昨日もだ。それ以後は誰にもかけていないから、リダイヤルを押せばいいだけだ。

コールが三回、四回。

「はい、杉田です」

弾む声が返ってきた。

真以子は黙っている。最初は、彼女の声を聞いただけでどぎまぎして慌てて電話を切ったが、今ではゆっくりと相手の反応を窺《うかが》うことができる。彼女の方も、少しずつ間を持たすようになっていて、沈黙を続けている。一分、二分、三分。それは、ある種、勝負のようでもあった。先に切った方が負けと思えた。

しかし、今日は状況が違っていた。

「いつもの方ですよね」

彼女が話しかけてきたので、びっくりした。

「うちに、何かご用ですか」

その口調は思いがけず柔らかい。怒りとか怯《おび》えというより、心底、知りたいという思いが滲《にじ》んでいた。

「どうぞ、遠慮なさらずに話してください」

そこまで聞いて、真以子は受話器を下ろした。

かける前よりいっそう、救われない思いに包まれ、膝を丸めて小さくなった。

佑美

ここ二週間ばかり、自分でも驚くくらい、佑美はよく眠っている。

昨日も、合わせれば二十時間ぐらい眠っていたのではないかと思う。時々起きて、トイレに行ったり、お茶を飲んだりするが、すぐにまた眠くなる。眠りを妨げるものは何もない。電話も鳴らないし、チャイムを押す者もいない。朝も昼も夜も関係なく、ただ時間だけがそこにある。眠るにも体力が必要だと聞いたことがある。だから、眠るためにまた眠る。

夢は、確かに見ていると思うのだが、目覚めるといつも記憶は失われていた。光の入ったフィルムのように、真っ白な画像が眠った時間の長さだけ連なっている。少し残念な気もするが、あまり気にしないようにしている。夢なんて、忘れるから、価値があるに違いない。

秋生が死んでしまったことは、ちゃんと理解していた。窓際のチェストの上には写真と遺骨も置いてあり、目が覚めれば「おはよう」と声をかけ、眠る前には「おやすみ」とも言う。もう、コーヒーメーカーの目盛りの2に合わせて水を入れることもなくなった。

それでも、今もどこかで秋生の悪い冗談に乗せられているだけのような気がする。できるなら、ずっと乗せられていたい気もするが、それはたぶん秋生と同じ岸に辿《たど》り着くということなのだろう。

そろそろ何かしなければならない、と佑美は考え始めていた。

こんな毎日を過ごせることはある意味でとても幸福だが、どこかで後ろめたい気もしていた。広宗から受け取った保険金はまだあるが、それを食い潰《つぶ》していくことに慣れ切ってしまうのも怖いように思えた。

その日、佑美は目が覚めると、仕事を探そうと決めた。シャワーを浴びて、洗濯をした。天気がよかったのでベランダに布団を干した。掃除もした。久しぶりに身体を動かすのは気持ちよかったが、陽だまりに座り込むとまた微睡《まどろ》んでしまいそうになり、外に食事に出ることにした。

下北沢の商店街は賑わっている。ひとりで食事をするのが苦手な佑美は、どの店に入ればいいのかわからず、うろうろと探し回った。コンビニで就職情報誌を買ったついでに、お弁当を買ってアパートに帰ろうかとも考えたが、そうするときっとまた眠ってしまう。結局、目についた蕎麦屋に入った。お昼時は過ぎていて、店はすいていた。

席に着いて、情報誌を開いた。贅沢を言うつもりはなく、時給は安くても、あまり遠くない場所で人と接しなくてもいい仕事があれば、と思うのだが、当然ながら、そんなものは少ない。その限られた仕事も年齢制限があり、佑美の年齢だと枠を超えていた。パソコンや経理の経験があるわけでもなく、特技や資格もない。今となってみれば、こんな自分にカルチャーセンターの事務のパートがよく見つかったものだと感心するくらいだ。

鴨南蛮《かもなんばん》を食べ終え、レジで支払いをしようとした時、壁に「パート募集」の紙が貼ってあるのが目に入った。

「あの」

思わず、佑美は白い上っ張りを着てレジを打つ五十がらみの女性に声をかけた。

「このパート募集に、応募できますか」

「あら」

女性は佑美を値踏みするように素早く上から下まで目を走らせて、「体力に自信はある？」と尋ねた。

そんなことを聞かれるとは思ってもみなかったので、口籠もった。

「それは……」

「あなた、鴨南蛮、半分も残したでしょう。言っておくけど、怒ってるわけじゃないのよ。お客さんだもの、それはいいの。でもね、うちで働いてもらうには、全部平らげるぐらいの元気がないとね。これで結構力仕事なのよ。出前なんかもあるしね」

「すみませんでした」

佑美はうなだれて答えた。

「いいのよ、こっちこそお客さんに好きなこと言っちゃってごめんなさい。えっと、お金はあるの？」

「あります」

佑美は慌てて財布から千円札を取り出した。

女性は釣り銭と一緒に、レジ横に置いてあった揚げ玉の袋を差し出した。一袋百円の値札がついている。

「これ、持って帰んなさい」

「でも」

「いいから、持っていきなさい。味噌汁とか煮物とか、いろいろ使えるから。うちはいい油を使ってるからおいしいの。いっぱい食べなきゃ駄目よ」

「ありがとうございます」

「体力ついたら、またおいで」

外に出て、佑美は息を吐き出した。自分が世の中から取り残されていることを感じた。

今更、こんなことを考えるのはお門違いかもしれない。世の中というものから抜け出したかった。だから、夫や家族に背を向けて家を出た。そうして秋生と出会い、共に暮らした。秋生と暮らすことは、秋生の世界に身を置くことだった。世の中なんて、どうでもよかった。

けれど、秋生はもういない。佑美を残して、本当に秋生だけの世界に行ってしまった。

私はひとりだ。

不意に、暴力にも似た喪失感が佑美を包み込んだ。指先が冷たくなり、身体が小刻みに震え始めた。立っているのが辛くなり、手を伸ばしたが、摑めるものは何もない。街の風景が歪《ゆが》んで見えた。自分がどこにいるのか、なぜいるのかさえわからなくなった。意識が混濁し始めた。

目を覚ますと、目の前に広宗の顔があった。佑美は何度か瞬きし、それから広宗に尋ねた。

「これは、夢ですか？」

広宗が困ったような顔をした。

「いえ、現実です」

佑美は周りを見渡した。自分のアパートだ。部屋の真ん中で佑美は丸まって眠っていたらしい。肩に背広の上着がかけられていた。佑美はゆっくりと身体を起こした。

「どうしてここに？」

「電話をもらったんです」

「私から?」

「覚えてないのですか?」

「ええ」

部屋の隅に揚げ玉の袋が転がっているのが目についた。蕎麦屋で鴨南蛮を食べたことを思い出し、パート募集の貼り紙を見たこと、胸が締めつけられるような喪失感、するすると記憶が繋がった。

佑美が辿り着いたのは公衆電話だ。そうしてほとんど我を忘れたように番号を押していた。

「すぐ……」

途切れ途切れの声で言った。

「すぐ、会いたいんです。今すぐ」

「行きます」

抑揚のない、けれども意志がはっきりと形になった声が聞こえた。それは、佑美をこの世に繋ぎ止める最後の声のように思えた。

「ごめんなさい、あんな電話をしてしまって」

そんな自分を思い出し、少し恥じて、佑美は言った。

「それはいいんです。何かあったんですか?」

「いいえ、何にも」

「そんな感じじゃなかった。ひどく切羽詰まった声だった」

佑美は広宗の上着を膝にのせたままにしている。返さなければならないのだが、その
どこか秋生にも父にも似た懐かしい匂いに、もうしばらく包まれていたかった。

「何だか急に胸が苦しくなって、どうしていいかわからずに電話してしまったんです」

「どこか身体の具合が悪いんですか?」

「いいえ」

「医者なら紹介します。信頼できる医者を知ってますから」

「本当に大丈夫です。少し前から、時々こんなふうになるんです」

「こんなふうって?」

「何て言っていいのか……秋生さんが死んでしまったことはわかってるのに、それが突
然、大きな波のように襲ってくるんです。そうなると、もうお手上げで、ただただ波が
静まるのをじっと待つしかないんです。だからいつも、あまり感情を波立たせないよう、
そうっと、そうっと生きてるつもりなんですけれど、なかなかうまくいかなくて」

広宗は佑美を見つめている。佑美が広宗を見ると、すぐに目を逸らしてしまう。

「ここのところ、ずっとそういうことがなかったので安心していたんです。でもその分、

今日の波がひどくて、無意識のうちにあなたに助けを求めてしまったんだと思います。あんな電話を受けて、さぞかし驚かれたでしょう。本当にごめんなさい」

広宗はしばらく黙り、それから、小さく首を左右に振った。

「僕は構いません。とにかく、そんな状態だったのにアパートにちゃんと戻れてよかった。玄関のドアに鍵がかかっていなかったので、勝手に入らせてもらいました。でも、気をつけてください。物騒な世の中なのだから、どんな時でも、戸締まりだけはちゃんとするように心掛けた方がいい」

「はい」

頷いてから佑美はくすくす笑った。

「何か？」

「学校の先生みたい」

広宗は困ったような顔をした。

「お茶を淹れますね。これ、ありがとうございました」

佑美は少し名残り惜しいような気持ちで上着を広宗に返し、キッチンに立った。ガスレンジで湯を沸かし、煎茶を淹れた。広宗があまりコーヒーが好きではないことは、何度か一緒にお茶を飲んで知るようになっていた。

「私、そろそろ働こうかと思ってるんです。でも、私が働けるようなところって本当に少ないんですね。情報誌を見てもさっぱりだし、たまたま入ったお蕎麦屋さんのパートも断られてしまって」

「本当に働くつもりなんですか？」

広宗の戸惑うような声が聞こえてきた。

「いつまでもこんな生活を続けるわけにはいきませんから」

盆に急須と茶碗をのせ、部屋に戻った。

「生活が大変なら何とかします」

佑美は驚いて首を振った。

「たくさん、お金をいただきました」

「あれは秋生の保険金です。もともとあなたの金だ」

「いいえ、本当なら、私はいただける立場じゃないんですから。感謝してます」

茶碗に煎茶を注ぎ、広宗に差し出した。新緑の匂いが部屋の中に瑞々《みずみず》しく広がっていく。

「二週間も連絡をくれませんでしたね」

広宗はまだ手をつけていない茶碗の中を見つめながら言った。

「そうでしたか？」

「今までは一週間か、長くても十日に一度は必ず電話をくれていた」

「どういうわけか、毎日、眠ってばかりいたんです」

「何かあったんじゃないかと、心配で心配で、正直言って、仕事もろくに手につきませんでした。もしかしたら、どこかに行ってしまったんじゃないか、病気にでもなっているんじゃないか、ということも考えました。何度、連絡を取ろう、ここを訪ねようと思ったかしれません」

佑美はどう答えればいいのかわからず、黙ったままでいる。

「自分でもうまく言えません。とにかく、あなたが気になってしょうがないんです」

自分を抑制するように、広宗は一度、短く息継ぎをした。

「驚いたことに、僕は毎日、あなたのことばかり考えています。あなたが秋生の妻同然の人だったということはわかっています。言ってみれば、義理の妹のような立場の人だ。だから気になるのかと、最初は思いました。でも、そんなわけはない」

それ以上、聞いてはいけない。言わせてはいけない。でも、聞きたい。言って欲しい。矛盾する感情が佑美の身体を揺らしている。

「僕にとって、あなたはもうなくてはならない人になってしまった。いつから、なんてわかりません。気付いたらそうなっていた。僕は秋生の兄だ。その立場を利用してあなたをどうにかしようなんて決して思っていません。だったら尚更、こんな中年の男に訳のわからないことを言われて、あなたは今、どんなに困っていることでしょう。当然です。僕自身、いい年をして何を口走っているんだと、いたたまれないような気持ちです」

広宗は一度も佑美を見ようとしない。前かがみの姿勢のまま、膝にのせた自分の拳《こぶし》を見つめている。

佑美は広宗の少し薄くなった髪や、弛み始めた首の皮膚や、手の甲にうっすらと浮かぶシミを見ていた。男というのは、こんなにも頼りなげな生き物だったのかと不思議に思った。

「あなたに何と思われても仕方ありません。もう二度と来てくれるな、と言われることも覚悟しています」

本当に泣きだしてしまうのではないかと思えるくらい声が震えていた。

「そんなこと」

佑美はようやく口を開いた。

「そんなことを思うはずがありません」

言いながら、自分の言葉が何を意味しているのか、それを考えるのはもっと後にしようと思った。

協子

真以子に会うのは久しぶりだ。

配送センターに職場が替わり、残っていた有給休暇を消化することもあって、協子は久しぶりにまとまった休みを取っていた。

午前中に渋谷に出て、服を数着と育児書を買い、前々から気になっていた妊婦用のサプリメントと栄養補助食品を揃《そろ》えた。少し足を延ばして子供服売場も回ってみた。砂糖菓子のような愛らしい服が並んでいて、自然と表情がほころんだ。そう遠くないいつか、ここに来てあれもこれもと買うのが楽しみだ。

それから真以子と待ち合わせている公園通りのレストランに向かった。レストランは、窓から国立代々木競技場の美しいフォルムの屋根が見え、いつもうっとりと眺めてしまう。

真以子は先に来ていた。協子を見ると、驚いたように目をしばたたかせた。

「やっぱり大きくなったわね」

目立たないよう、長めのニットカーディガンを羽織っているのだが、意識して見れば腹の膨らみはすぐにわかる。

「もう六ヵ月だから」

協子は椅子に腰を下ろし、腹に手をやった。妊婦がよくお腹を撫でる仕草をするのをカッコ悪いと思っていたが、自分がそうなるとやはり同じことをしてしまう。愛しさと誇らしさの現われだ。

「本当に生まれるのね」

「信じてなかった？」

「そうじゃないけど、何だか嘘みたい、そこに秋生の子供がいるなんて」

「私も同じよ。こうして子供ができたことも、秋生が死んだことも、みんな秋生の悪い冗談に乗せられてるみたいな気がするわ」

食事は、ランチコースをオーダーした。メインは選ぶことができて、真以子は鱸《すずき》の香草焼きを、協子はチキンのグリルを指定した。

「元気そうでよかった」

「そう見える？」

「違うの？」

「正直言えばもうめいっぱいよ。電話でも言ったけど、仕事も替えられたし」

「ああ、そうだったわね」

サラダとパンが運ばれてきた。

「秋生が生きていたらって、何度思ったかしれないわ。もちろん、今だって思ってる」

「でしょうね」

「もし、この子がいなかったら、たぶんもっと泣いてたわ。私が泣くと、この子、お腹で暴れるの。だから泣けないのよ」

真以子が息を吐き出した。

「協子にそんな強さがあったなんて、すごく意外だわ。ずっとお嬢様育ちで、何て言うか、守られることしか知らないように見えたから」

「そう思われて当然よ。私だって自分をそう思ってたんだもの」

「いやだったら答えなくてもいいけど」

「ええ」

「秋生には一緒に暮らしていた人がいたわよね。籍は入ってなかったみたいだけど。そのことは、どう思ってるの？」

協子はしばらく窓の外に目をやり、答えるべき言葉を探した。けれども、どう考えても見つかりそうになかった。

「答えにならないかもしれないけれど、秋生でなかったら、すべてはこんなふうにならなかったような気がするの」

「そう」

「私ね、学生時代に秋生と付き合っていたでしょう。あれから、本気で誰かを好きになったことがなかったの」

「本当に？」

「最初の頃は、秋生が初めての相手だから美化してるだけなのかもしれない、なんて思ったわ。でも、やっぱりそうじゃないの。誰と付き合っても、あんな気持ちにはなれなかった。我を忘れるみたいな、身体中の骨がみんな砕けてしまうみたいな。私ね、誰にも言ったことないんだけど、他の男の人としたことがないの」

向かい側で、真以子がフォークを止めるのが目に入った。

「それって」

「そう、それのことよ。付き合ったことはあるのよ。でも、そこまではないの。どうしてもする気になれなかった、できなかったの。三十七歳まで、知っているのは秋生だけ」

真以子がゆっくりとフォークを置き、ミネラルウォーターに手を伸ばした。

「驚いた？」

「正直なところ」

「怖い？　そういうの」

「私が二十代だったら変に思ったかもしれない。でも、今はわかるわ。ええ、すごくわかる。結局、自分にとって最高の男はひとりしかいないんだもの。そのひとりと最初に出会ってしまったのなら、そうなるしかないわ」

「秋生と再会した時、私にはもう迷うとか躊躇するなんて余裕はなかったの。そんなものに心や時間を割《さ》くより、ただ、秋生を存分に愛したかった」

「羨ましいわ」

「そう？」

「とても」

ゆったりと食事をしながら、それからふたりで秋生の話をたくさんした。学生時代のエピソードは尽きず、何度も笑い、何度も頷き合った。

こういうことがしたかったのだと、協子はつくづく思った。

秋生はもういない。そのことを考えると、時折、叫び出したくなるような悲しみに包まれる。けれども、秋生のことを話している間は、秋生は確かにここにいる。そうして、お腹の子もそれに耳を傾けている。秋生を失っても、自分はもうひとりではない。

協子はふとお腹に手を当てた。少し硬くなっている。久しぶりにデパートの中を歩き回って、疲れが出たのかもしれない。わずかながら下腹に軋《きし》むような痛みも感じた。

「どうしたの、具合悪い？」

不安気に真以子がいくらか身を乗り出した。

「ううん、大したことないの。ちょっとごめん」

トイレに行くと、ほんのわずかだがショーツに出血が見てとれた。少し調子に乗って、歩きすぎたのかもしれない。気にするほどではないかもしれないが、大事を取って帰りに病院に寄ることにした。

席に戻って、真以子にそのことを告げると、「私もついていく」と言いだした。

「大丈夫よ、ひとりで行けるわ」

「そんなわけにはいかないわ。どうせこのまま家に帰ってもずっと心配しなくちゃいけないもの。一緒に行かせて」

そうまで言うのを断る理由もなく、結局、ふたりでタクシーに乗り、病院に向かった。病院には電話で行くことを告げてあり、すぐに診察を受けることができた。やはり少し無理をしたらしい。昨日は部屋の模様替えをした。一昨日は本棚の整理だ。赤ちゃんがいい加減にしてと悲鳴を上げたんですよ、と医者に言われた。

真以子は待合室で待っていてくれた。

「どうだった？」

協子が診察室を出ていくと、不安気な表情でソファから立ち上がった。

「少し疲れただけですって。ごめんね、心配かけちゃって」

真以子はホッとした顔をした。

「ああ、よかった。もしものことがあったら、秋生に申し訳がたたないところだったわ」

　ふたりで玄関に向かって歩いていく途中、背後から呼び止められた。

「仲井さん」

　振り向くと、杉田律子が立っている。病院で何度か顔を合わせているうちに、親しくなった年下の知り合いだ。

「あら、こんにちは。生まれたの？」

「そう、三日前に」

　ネグリジェに、赤と紺のチェックのガウンを羽織っている。化粧気のない彼女は、とても若く、それにびっくりするほど綺麗だった。出産を終えた女は身体の毒素をみんな出して綺麗になる、と聞いたことがあるが、嘘ではないのかもしれない。

「どっちだったの？」

「女の子。よかったらちょっと顔を見て行って」

　と言われたが、真以子と一緒だ。関係ない真以子を付き合わせるのも気がひけた。

「今日は友達と一緒だから、また改めて」

　と、答えかけた時、「私もいいかしら」と、思いがけず真以子が言った。

「ええ、もちろんどうぞ」

　律子が答える。生まれたのが本当に嬉しいのだろう。

新生児室に続く廊下を歩きながら、律子はどんなに陣痛が長かったかとか、子供が育ちすぎて難産だったとか、出血がひどくて輸血寸前だったとか、そんな話をした。

「あの子です。ほら、壁ぎわの三番目のベッドに寝てる」

「可愛い子ねえ」

お世辞ではなく、協子は言った。目鼻立ちがはっきりしていて、色白だ。髪の毛に少しカールが入っている。真以子もガラス窓に額を押しつけるようにして眺めている。

「天然パーマはパパ似？」

「そうなの、パパがすごいクセ毛で」

「名前は決まったの？」

「それがまだ。いくつか候補は挙がってるんだけど、絞り切れなくて。きっと届け出日ぎりぎりになるんじゃないかしら」

言ってから、律子は協子の肩ごしに廊下の奥を眺めた。

「あら、パパだわ」

律子が手を振った。

「ここよ、パパ」

協子は振り返った。同時に、顔を向ける真以子の姿が目の端に映った。

真以子

本当に辛いなら我を失うはずだ。

と、真以子は思っていた。

今、自分がどこを歩いているかわかっていたし、何をしようとしているかもわかっていた。駅に向かっていて、電車に乗って自分のマンションに帰ろうとしている。

だからそんなにショックを受けたわけではない。だいたい、子供が生まれることはもうずっと前からわかっていたことなのだから今更驚くはずもない。決して我を失ったりしていない。打ちのめされてもいない。と自分に言い聞かせた。

けれども、マンションに到着して部屋に入ったとたん、全身が縛られるような疲れに包まれ、ベッドに倒れ込んだ。

泣くんだろうな、と思った。きっと今からとめどなく涙が溢れ、シーツを握り締めて嗚咽《おえつ》する。そんな自分を真以子は待った。

けれども実際は、少しもそんなことはなかった。もっと冷静だった。いや、冷静というより、神経の一部が麻痺《まひ》したようなしんとした冷たい静けさが身体を満たしていた。

むしろ、そのことに真以子は絶望的な気分になった。

自分はいつもそうだ。肝心な時に、感情が機能しなくなる。それに助けられたこともあるが、ほとんどは誤解され、眉を顰《ひそ》められ、自分自身に嫌気がさした。

そんなことは何も今に始まったわけではない。小さい時から「可愛げのない子」と言われてきた。誉められた時も、叱られた時と同様にむっつりしていた。泣きたい時も、傷ついた時も同じだった。そういう自分を後悔するのが悔しくて、愛敬《あいきよう》のある女の子を軽蔑した。それがいちばん手っ取り早く自分を慰める方法だったと気付いた時は、もう手遅れだった。

あの時、杉田に何か言えばよかったのだろうか。近付いてくる杉田に驚きの表情が広がっていくのを見ながら、たとえばヒステリックに「裏切り者」とでも。泣き叫んで「私はどうなるの」とでも。そうでなければ、幸せそうに杉田をパパと呼んだ妻に向かって「私は彼と付き合っているのよ」、もっと露悪的に「幸せになんかさせない」「必ず復讐《ふくしゆう》する」、脅迫めいて「死んでやる」。

真以子は息を吐き出した。

どれも言えるわけがない。どれも口にしたい言葉じゃない。本当に言いたかったのは別の何かだ。けれども、その何かがわからない。

杉田は、真以子が知っている杉田とは違って見えた。もう父親の顔をしていた。守るべきものを持った男の顔だ。真以子には一度も見せたことのない責任という荷を担いでいた。

そんな杉田を見ただけで、すべてのことはすでに決着がついているのがわかった。それなのに、こうして性懲《しょうこ》りもなく、真以子ひとりがまだ「もしかしたら」を巡らせている。

現実は、いつだって、想像をたやすく裏切る。杉田は明らかに、もう他人だった。

どれくらい時間がたったのだろう。窓の外がすでに夕闇に塗り込められた頃、電話が鳴りだした。

コールが五回、留守番メッセージが応答し始めた。

「俺だけど」

声を聞かなくても、杉田からだということはわかっていた。

「まさか、あんなところで会うなんて思ってもいなかった。あの仲井さんという人は、前に真以子から聞いたひとりで子供を産むという人だったんだね。律子と同じ病院に通っていたとは驚いたよ。いや、そんなことはどうでもいいんだ。ごめん。いやな思いをさせてしまって本当に悪かった」

それから少し、杉田は言葉を途切れさせた。もちろん真以子が部屋で聞いていることはわかっているのだろう。

「何て言っていいのか、言葉が見つからない。俺はどうすればいいんだろう」

奥さんと別れて。私と結婚して。

胸の中で呟いてみた。何て陳腐な、何て浅ましい望みなのだろう。

愛だけでいいと思っていた。いや、愛なんかいらないと思っていた。気楽で快適な男と女の関係。それを杉田となら持続できると踏んでいた。持続できなかったのは杉田じゃない。真以子の方だ。

「ごめんな、真以子」

最後に呟くように言い、杉田は電話を切った。

「わかってるわ」

真以子は口に出して言ってみた。

妻や生まれたばかりの子供を杉田が捨てられるわけがない。そしてまた、自分が杉田にそれだけのことをさせる力を持った存在ではない、ということもだ。

間違った男と付き合っていたわけじゃない。会っている時、杉田はいつも優しかった。たくさん語り、たくさん抱き合った。出会うべき男と出会い、恋すべき男に恋をして、迎えるべき終わりを迎えただけのことだ。無駄だったわけじゃない。

「もう、いいのよ」

真以子は呟いた。

「いいの」

それから初めて、泣いた。

二日ほどして、ここしばらく連絡の途絶えていた編集プロダクションから仕事の依頼が入った。真以子より十歳ほど年上の女性経営者だ。

「十二ページ分のレイアウト、今週いっぱいなんだけど、できる？」

真以子は即座に答えた。

「はい、やらせてもらいます」

経済的なこともあるが、とにかく、部屋でじっとしていても頭の中は堂々巡りをするばかりで、何とか気分を違う方向へ持っていきたいという気持ちがあった。

「よかった」

相手はホッとしたように声音《こわね》を和らげた。

「何か？」

「だってあなた、この頃、少し変だったでしょう。仕事を頼みたくて留守電にメッセージを入れておいても、ぜんぜん連絡をくれなかったりして。何かあったのかなぁと思ってたの」

確かにここしばらくすべてがどうなってもいいような気持ちで過ごしていた。伝言も、何も聞かずに消去してしまうことがたびたびだった。

「すみませんでした」

「もう、いいの？」

「ええ」

「そう、それならよかった。何があったか知らないけれど、私はね、女は不幸から立ち直る時にいちばんいい仕事をするという持論があるのよ」

「不幸ですか」

言葉にすると、大したことではないように思えた。

「そう。不幸なんてね、立ち直るためにあるのよ。きっと、あなた、これから伸びるわよ」

「それは、どうもありがとうございます」

自分で言って、思わず笑っていた。

もともと社交辞令や世辞を少しも恥じないような彼女の言っていることだ、信用に値しないことはわかっている。それでも、悪い気分ではなかった。ふっと気持ちが軽くなった。

明日、事務所を訪ねることを約束して、真以子は電話を切った。

それから久しぶりに仕事机の前に座った。机の上にもパソコンにもうっすらと埃がかぶっていて、ここしばらく、自分がいかにこの場所に座っていなかったかを思った。埃を払っているうちに、本棚や引き出しの中につい目がいき、あれもこれもと気になりだして、本格的に掃除を始めてしまった。いらなくなった雑誌や本をまとめて紐で縛り、たまったファックス用紙を処分した。

そうしているうちに、棚の奥に懐かしい写真を見つけた。

大学時代にゼミの仲間たちで軽井沢に合宿に行った時に撮ったものだ。合宿所に使ったロッジの前で、十五人ばかりがそれぞれに好きなポーズを取っている。あの頃、お姫さまのように人気があった協子が、真ん中に座って微笑んでいた。左端には秋生が少し照れたように立っている。逆の右端で、むっつりしているのが真以子だ。

あの時のことを、真以子は思い出していた。写真を撮る直前、秋生とひどくやりあった。ひどく、と思っているのは真以子だけで、秋生は飄々《ひょうひょう》としていた。それがまた、真以子の気持ちを逆撫でした。

やりあった原因は、写真の中ほどでピースサインを送っている男の子のことだった。彼が、以前から自分に好意を寄せてくれているのは薄々感じていた。悪い子ではなかったが、それだけで何もかもうまくいくわけではなく、真以子は彼の気持ちを受け入れることができなかった。その時、自分にできるのは、気付かないふりをする、ということだと思っていた。それが彼に対する礼儀であり、恥をかかせるようなことをしなくて済むいちばんの方法だと。

たとえば、彼に誘われてどうしても断れない時は必ず誰かと一緒に行った。電話があれば、会話の最中に無言になるのが気まずくてつまらないことを話し続けた。決してふたりきりにならないように注意を払った。どんな時も目を合わせなかった。決して隣に座らなかった。そうして、ついに彼は諦めた。

——それは諦めたんじゃない、呆《あき》れたのさ。

秋生に言われて、真以子はムッとした。

「じゃあ、私はどうすればよかったの。断ることが決まってるのに、彼に『好きだ』と言わせればよかったの。そんなの傲慢《ごうまん》だわ」

——違う意味でもっと傲慢だよ。

「何それ？」

——あいつがちゃんと思いを告げようとしているのに、どうしてそれを受け止めようとしないんだ。自分がその立場になったらわかるだろ。真以子が、好きな男に思いを告げようと決心したのに、何だかんだとはぐらかされたらどう思う？

「振られるよりマシだわ」

——つまり、相手のためだとでも言うつもりかい。真以子は何もわかってないな。傷つけるのは、振ることじゃない。ちゃんと相手と向き合わないことだ。

秋生はそう言って、言い返す言葉を探している真以子を残し、ロッジを出ていった。

秋生に何がわかるの。

あの時はそう思っていた。女の子の気持ちを知っていて、知らんぷりを決め込んでいるのは秋生ではないか。真以子の気持ちだって、本当はとうに気付いているはずなのに、いつまでも仲間の域を超えることなく、適当に付き合っている。そんな秋生にとやかく言われたくない。

けれど、今ならよくわかる。

自分は人との接し方をずっと間違えたまま生きてきた。いつだって逃げ道を用意して、身体半分しか向き合わない。杉田に対して、一度だって真っ向から気持ちをぶつけたことがあったろうか。

杉田を責められるはずもない。ここにこうしてひとりでいるのは、すべて自業自得だ。

じゅん子

「この間も、課長に嫌味を言われたわ。いやね、五分も遅れたわけじゃないのに。仕事だってちゃんとやってるのよ。女ってどうしてそういうところに細かいのかしら」

ベッドの中で、汗で湿った谷山の胸に顔を押しつけながら、じゅん子は言う。

「女の課長か」

谷山が声を出すと、胸がゆっくりと上下する。

「そうなの。同い年なんだけど、独身だからちょっとぴりぴりしてるところがあるの。毎日に余裕がないっていうか」

「僻《ひが》んでるのさ」

じゅん子は嬉しくなる。そういう言葉が聞きたかったのだ。

「でも、結構美人なのよ」

「むしろ、美人だからぴりぴりするんだよ。諦めが悪いっていうか、踏ん切りがつかないっていうか。若い時ならいざ知らず、ある程度の年齢がきたら安定した生活がないと気持ちに余裕が持てなくなる。それがつい、顔や態度に出てくるんだろうな。きっとなんだかんだ言うのは、幸せな家庭を持ってる君が羨ましいからだよ。だから、ちょっとしたことで嫌味を言ったりするんだよ」

「そうかしら」

「君だって、本当は、少しぐらい優越感を持ってるんだろう」

「そんなことないわ」

じゅん子は首を振った。

家庭だけあっても、優越感なんて持てない。金持ちの奥さんでもなければ、華やかに趣味や仕事に飛び回っているわけでもない。夫がいて、子供がふたりいて、家のローンがあり、パートで働いている。そんな主婦がどうして優越感など持てるだろう。

けれど、とじゅん子は考える。自分はもうそれだけの主婦ではない。夫がいながら、ちゃんと不倫をしている。確かに谷山は自慢できるような男前ではないし、お金だって持っていないが、出会う前と今とでは、毎日が別の世界に生きているような気がした。

じゅん子は自分が美しくないことをよく知っていた。それでも、こんな自分を谷山は抱きたくてしょうがないと感じてくれている。まるでドラマや小説のように、身体中にキスされ、触られ、それに対して恥ずかしげもなく声を上げて、夫とはしたこともないようないやらしいことをたくさんしている。

こんなことを未知子も誰かとしているのだろうか。まさか。ないに違いない。しているからこそじゅん子にはわかる。心ゆくまでセックスを堪能している女は、すべての反応に弾力がある。未知子の石のような頑なさが、ないことを証明している。

じゅん子の耳の下で、谷山の心臓の鼓動が規則正しく繰り返されている。その音にさえ、欲情してしまいそうになる。

谷山とセックスするようになってから、自分の身体がみるみる変わっていくのを、じゅん子は呆気《あつけ》にとられるように眺めていた。眠っていた性欲が、いや、もうとうに死んでしまったとばかり思っていた性欲が、はっきりとした形になってじゅん子を揺り動かしていた。もっともっと、と求めてしまう。求めても求めても、満たされるのは一瞬で、次の瞬間、もう欲しくなっている。

「ねえ」

じゅん子は谷山の大して筋肉のない胸に口づけした。

「うん？」

「もう一回したい」

「時間じゃないのか」

「いいのよ、遅れたって。叱られる時だけ、頭を下げていればいいんだから」

谷山が笑う。

「こんなに、君がセックス好きだとは思っていなかったな」

そうして、身体を回転させて、じゅん子を組み敷いた。

「私だってそうよ。こんな自分が私の中にいたなんて、思ってもいなかった」

谷山の背にじゅん子は手を回した。

結局、仕事に戻るのが三十分近くも遅れることになって、課長の沢田未知子から注意された。

「前にも言ったと思うけれど、こういうことをされると周りに示しがつかないのよ」

表情は険しい。

「すみません。お昼を食べたら急にお腹が痛くなったものですから」

見え透いた言い訳をしゃあしゃあと口にしている自分を、じゅん子はどういうわけか「悪くない」と思っていた。今までずっと、どこにいても、誰に会っても、おどおどと相手の機嫌を窺っていたように思う。それが、こんなに平然と嘘を口にしている。

「でもね、これからもこういうことが続くようなら、人事の方と相談させてもらうことになるかもしれないわ」

「本当にすみませんでした。今度から気をつけます」

丁寧に、深く、腰を折るようにして頭を下げた。

未知子は短く息を吐いた。

「もう、いいわ。仕事に戻って」

やっぱり謝ってしまえばこっちのものだ。これで済むなら、もう少し遅れてもよかったかもしれない。

その日の午後、総務の添田課長がやってきた。あいにく未知子は外出中で、課長はじゅん子の席に近付いた。

「これ、新年度のパンフレットの見本なんだけど、ちょっと見てくれないかな」

と、カラーコピーされた印刷物を差し出した。

「できたら、みんなも頼むよ」

席から立ち、それぞれに集まってきた。

春からの時間割が組まれているパンフレットだ。同じ講座でも講師が代わったり、新たな講座が始まったりするので、年に一回はこうして新たにパンフレットを作成するのだった。カルチャーセンターは、夜の生徒はほとんどＯＬだが、日中は主婦か老人たちだ。以前はＯＬの方が人数は多かったが、今では主婦や老人の割合の方が高くなっている。

パンフレットには、時間割と講師の紹介の写真があり、ところどころにイメージカットとして写真が組み込まれている。写っているのはイルミネーションが滲む夜のお洒落な街角だった。

「主婦として、どうかな」

みんなは顔を見合わせた。

「素敵なんじゃないですか」

ひとりが言った。みんなも同じように頷いた。本当にそう思っているというよりも、下手に何か言って、添田課長の気分を害したくないという思いがあるからだ。すべてにおいて当たらず障らずやり過ごす、というのがパートたちの不文律になっている。

「そうか、主婦の目から見ても合格か。沢田くんが選んだ写真なんだけど、なるほどね、やっぱり彼女はさすがだね」

「あの」

思わず、じゅん子は声を発した。

「何かある？」

「私もすごく素敵だと思うんですけど、生徒さんの層を考えると夜の風景はちょっと、という気もします」

「そうかい？」

添田が改めてパンフレットを眺めた。

「パンフレットの写真を見ると、大事なのは独身のＯＬたちで、主婦やお年寄りは二の次みたいな印象を受けると思うんです」

言ってから、少し不安になり、じゅん子は周りを見た。パート仲間たちがいくらか驚いたような表情を向けていた。じゅん子がこんなふうに積極的に意見を述べるなど、今まで見たこともないのだろう。

「なるほどね。だったら、どんなのがいいと思う？」

「私だったら……」

じゅん子は少し考えた。

「もっと明るい印象の方がいいかなぁと。たとえば、休日の公園で犬と遊んでいる家族とか、ベンチに腰掛けている老夫婦とか、そこに若い女性がスポーツバッグを抱えている姿が入ってる、そういうのがいいかな、なんて思うんですけど」

言っている自分にじゅん子は驚いていた。

「ふうん、なるほどね」

「すみません、生意気言って」

添田は首を振った。

「いや、いいんだ。どうだろう、他に意見はないかな。せっかくだからいろいろと言ってもらえるとありがたいんだけど」

「あの」

パートのひとりが手を上げた。

「私もそう思います。夜のイメージだと逆に主婦の反感をかうかも。だって夜は、出たくても出られない主婦がほとんどなんですから、ねえ」

彼女は周りに同意を求め、それにつられるように、他のパートたちも頷いた。

添田は納得した顔をした。

「そうか、主婦のみんながそう言うなら確かにそうなんだろうな。今後、うちにとって主婦とお年寄りはもっとも大事な生徒さんだからね、多少でも反感を持たれるのは避けたい。わかった、さっそくもう一度検討してみよう。沢田くんはセンスはいいんだけど、そういうところにまで気が回らないというか、まあ、独身だから当然だろうけどね」

添田がそう言ったとたん、周りにどこか共犯者めいた笑いが広がった。誰も口にしたことはないが、沢田未知子に対して同じような気持ちを抱いているのだろう。

その日、帰り際に未知子から呼ばれた。

「添田課長から聞いたわ、パンフレットの写真の件」

じゅん子はさすがに身をすくませ、未知子の顔を見ないまま頭を下げた。

「すみません、余計なことを言って」

「いいえ、さすが主婦ね。確かに、独身の私にはちょっと考えが及ばなかったわ。写真は稲本さんが言ったような感じのものに差し替えるそうよ」

口調は穏やかだが、言葉の端にちりちりした神経の昂ぶりが感じ取れた。

「じゃあ、ご苦労さま」

「お先に失礼します」

じゅん子は礼儀正しく挨拶をして、センターを出た。

同期に入社した時から未知子には差をつけられていた。容貌《ようぼう》はもちろん、仕事に関しても足元にも及ばなかった。未知子に対して、負けたくない、などという感情すら持ったことはない。最初から勝負にならないことはわかっていた。

今、未知子に長く抱いていた劣等感を、わずかながらも軽くすることができたような気がした。

未知子は確かに美人で仕事もできる。じゅん子の持っていないものをみんな持っている。けれども未知子の持っていないものを、じゅん子は持っている。夫と子供。家庭。

そして、谷山というじゅん子の身体をとろけさせる男。

それを思うと、不意に笑みが浮かんできて、じゅん子はつい足取りを弾ませた。

七恵

「この間は、すっかり面倒をかけてしまって」

言いながら、七恵は秀一のグラスにビールを注いだ。

「あんなことぐらい、どうってことないさ」

今度は秀一が七恵のグラスを満たす。

それから互いのグラスを軽く合わせた。

「あんなにひどい風邪をひいたのは久しぶりだわ」

「もう、いいのかい」

「ええ、すっかり」

おととい、秀一に連絡を入れた。先日の風邪で世話になったお礼、というのが名目だったが、もちろんそれだけではなかった。秀一の妻の奈保子と会ってからというもの、何かが変わり始めている。すべてを知り尽くしたと思っていたはずの秀一が、まるで知らない人間のように、もっと言えば、結婚していた時よりずっと魅力的に映りさえするのだった。

「誘って、迷惑だった？」

「どうして」

「何となく」

「そんなわけないだろう」

秀一は気付いていないようだが、七恵は自分の言葉の端々に媚《こび》に似たものが漂っているのを感じていた。それを恥じる気持ちより、どうして秀一がそのことに気付かないのか、焦《じ》れったかった。

飯倉にあるこの割烹《かっぽう》料理屋は、秀一と結婚前に何度か訪れたことがある。日本海の新鮮な魚が毎朝空輸されてくるということで、ふたりのお気に入りの店だった。先日、この近くを車で通り、まだ店があることを知って、どうしても秀一を誘いたくなった。

「それにしても、懐かしいな」

秀一が店内を見回している。

「でしょう」

と頷きながらも、実は七恵はこの店を選んだことを少し後悔していた。あの頃、とてもお洒落に見えた漆《うるし》のテーブルは艶《つや》が褪《あ》せていたし、いつも生花が品よく活けられていたコーナーには造花が置かれていた。全体的に古びてしまい、まるで自分たちの輝いていた過去までもくすんでしまったように思えた。

「奈保子さん、お元気？」

「ああ、何とか」

「この間、電話をいただいたわ。美弥と会う日にはまた自宅に遊びに来てくださいって」

秀一がわずかに眉を顰めた。

「悪いけれど、それに関しては、君から断ってくれないか」

「あら、どうして」

秀一がわずかに口籠もった。

「うーん、何て言ったらいいか、結局、奈保子自身が、そうすることで自分が面倒な思いに煩わされる、ということにまだ気付いていないんだ」

七恵は少し考えた。

「あの後、何かあったの？」

「いいや、大したことじゃない。強《し》いて言えば家事を神経質なくらいやってるぐらいさ。カーテンなんか、この一ヵ月で二回も替えた。君に来てもらっても、恥ずかしくない家にしておきたいらしい」

「そう」

七恵はグラスを口に運びながら、今、自分の気持ちをよぎった感情は何だろうと考えた。奈保子は明らかに、七恵に対抗心を抱いている。そのことを七恵は誇らしく感じた。自分が秀一の妻を惑わせられる存在だというのは、何て気持ちのいいことなのだろう。

「私のことなんか、気にしなくてもいいのに」

裏腹に言った。

「僕もそう言ったんだけど」

「今の私のマンションを見せてあげたいわ。どんなにひどい状態か」

料理が運ばれてきた。

小振りの器に刺身や煮物が少しずつ盛られている。味が落ちていないのだけが救いだった。

「美弥はどうしてる？」

「元気よ。今度、学芸会があるの。そこで『鶴の恩返し』をやるんだけど、主役の鶴の役をもらったものだから、張り切ってるわ」

「へえ、主役か」

「そうなの。美弥もやっぱり女の子ね。透ける白い生地で着物を作ってとか、鶴の羽を髪に飾りたいとか、注文がうるさくて」

「その学芸会っていうの、僕も行ってもいいのかな」

ためらいがちに秀一が尋ねた。

「もちろんじゃない」

七恵は思わず顔を上げた。

「そうしてくれたら、美弥も喜ぶわ」

「よかった。ほら、いちおう約束で運動会は参加していいことになってるけど、学芸会というのはなかったからね」

「いいのに、そんなこと」

「約束は、約束だから」

距離をおかれることに、わずかながらも傷ついている自分の身勝手さに、七恵は呆れそうになった。離婚の時、そういった制約をつけたのは自分の方だった。会うのは月に一回、運動会と入学式、卒業式の時は同伴、旅行に連れていくのは三日間まで。あの時、これから始まる娘とのふたりの生活に、秀一に必要以上に関わられては美弥も戸惑うと思ったからだ。けれど、意に反して美弥は離婚後も秀一とあっけらかんと付き合っている。戸惑っているのは七恵の方だ。

「でも、奈保子さんがそれを聞いて、どう思うかしら」

「どうって？」

「約束とは違うと言うんじゃない？」

「まさか、そこまで言うはずがないよ」

「そうかもしれないけど」

それから付け加えた。

「できたら、学芸会は奈保子さんに内緒で来てくれないかしら」

「そうだな」

「奈保子さんは寛大な人よ。別れた元の妻と子を自宅に招待するような人だもの。でもね、約束以外のことをされるのはあまりいい気分じゃないと思うの」

「ああ」

「私が奈保子さんだったら、きっとそう思うわ、勘繰りすぎかもしれないけど」

秀一は少し考えるように箸を止めた。

「わかった、そうするよ」

自分の頬に笑みが浮かびそうになるのを、七恵は慌てて制した。秀一と秘密を共有する。たかだか美弥の学芸会に来るというだけではないか。しかし奈保子に対するある種の優越感が胸の奥の方に広がっていた。

——自分に似合わないからと、服を他人に譲っておいて、それが相手にとてもよく似合っているのを見ると、つい惜しいことをしたような気持ちになる。七恵には、そういうところがある。

ふと、秋生の言葉が甦った。

あれは、いつだったろう。確かふたりで飲みに出掛けた店で、かつて七恵にしつこく言い寄っていた男と偶然に顔を合わせてしまった時だ。男は美しい女を連れていた。男の勝ち誇ったような目に七恵がひどく苛立《いらだ》ったことを感じて、秋生が呆れたように言ったのだ。

「どうして、秋生にそんな言い方をされなくちゃいけないの。あんな態度で接してくる男となんか付き合わなくてよかったって、つくづく思っただけよ」

——いつまでも、相手に未練を持って欲しいと望むことは、つまり、君が相手に未練を持っているということさ。

「未練？　そんな言葉がどこから出てくるのかしら。私はあの男にどんな感情も抱いたことはないわ」

——無関心だと？

「ええ、そうよ」

秋生はわずかに目を細めた。

——君は、自分に向けられる感情は好意しか認めないのかい？

その言葉は思いがけない棘《とげ》を持っていて、七恵は傷つきそうになった。そうなるのが悔しくて、強い口調で言い返した。

「誰だってそうでしょう。自分に悪意を持っている相手を認めることなんかできるはずないわ」

——愛されることでしか相手を認められない。どうしてわからないんだろう、そういう人間がいちばん傲慢だってことが。

秋生は背を向け、言葉をなくした七恵を残して帰っていった。

食事を終え、もう少し飲みたい七恵の思いに気付きもせず、秀一はタクシーを止めた。ふたりで乗り、まずは白金の七恵のマンションに向かった。

はぐらかされたような不満と、わずかな酔いが、車内の空気を湿らせた。秀一の手が彼の膝の上できちんと組まれているのを右目で見ながら、左目ではその手がさらりと伸びて七恵の手に触れることを想像した。

少し息苦しくなって、七恵は窓を細く開けた。

「美弥はもう寝てるよな」

今、十時少し前だ。言葉のニュアンスに、美弥の顔を見るためにマンションに寄っていいか、という思いが含まれている。

「今夜は、実家の母に預けたの」

答える自分の言葉に、秀一は何かを感じただろうか。

美弥がいないマンション。誘ったら、秀一は何て答えるだろう。もし「寄る」と言ったら、自分は本当に秀一を部屋に入れるつもりだろうか。

その時、秀一の胸ポケットで携帯電話が鳴りだした。

「ごめん」

短く断って、秀一は携帯を取り出した。

「もしもし」

予感がした。

「今、タクシーだよ。いいや、仕事で人とちょっと会ってたんだ。一時間もかからないと思うけど、いいよ、僕のことは気にしないで先に寝てくれて」

奈保子さんね、などと言う気にもなれなかった。

マンションに寄る気なら、一時間もかからない、などと帰宅時間を区切るはずがない。それから一言も口をきかないまま、タクシーは七恵のマンションの前まで行った。もちろん降りたのは七恵ひとりだった。


ビーズ細工教室の日、また稲本じゅん子と会った。

前に会ったのと同じ円山町の近くだ。東急百貨店の近くに空いている駐車場を見つけてから、七恵は最近、よくこの道を利用するようになっていた。

「あら、こんにちは。また銀行ですか？」

と言うと、じゅん子は「ええ」と笑って頷いた。七恵も苦笑した。

「いやですね、こんなところでばかり会うなんて」

「本当に」

教室は二時から始まる。今は一時半少し前だ。話題があるわけではないが、行き先は同じなので、世間話をしながらセンターに向かった。

事務所に顔を出すと、じゅん子が「鹿島先生をお連れしました」とわざわざ大声で言ったのでびっくりした。

課長の沢田未知子が席を立って近付いてくる。すれ違うように、じゅん子が自分の席へと戻って行った。一瞬、未知子の表情に険しさが滲《にじ》んだように思えたが、顔を合わせた時はいつもの営業用の笑みが戻っていた。

「お疲れさまです。今日もまたよろしくお願いします」

「こちらこそ、よろしくお願いします」

「実は、時間割のことでご相談したいことがあるんですけど、ちょっといいですか？」

「はい」

頷くと、未知子は事務所を出て、七恵を玄関先のロビーの隅へと連れていった。

「何でしょう」

「まだ決定というわけではないんですが、ビーズ細工教室はとても人気があるので、もうひとつ時間割を増やしたいと思っているんです。それで先生とも相談したんですけれど、鹿島さんに受け持っていただけたらと思ってるんですが、いかがでしょう」

「昼の時間帯ですか」

「ええ」

「曜日にもよりますけど、だいたいはお受けできると思います」

「よかった。ありがとうございます。また正式にお願いに上がります。これからもよろしくお願いします」

未知子は礼儀正しく頭を下げ、それから思い出したように尋ねた。

「さっき、事務の稲本と一緒にいらっしゃいましたが、どこかでお会いになったんですか」

「ええ、それがちょっと」

七恵はくすくす笑った。

「何か？」

「実は、円山町のホテルが並んだところなんです。私、あの近くの駐車場に車を入れてるものですから最近よく通るんです。稲本さんも銀行に行った帰りとかおっしゃってました。前にもその辺りで会ったことがあるものですから、いつも変なところで会いますねって、お互い笑ってたんですよ」

「そうですか」

七恵は時計を見た。そろそろ二時から始まる授業の準備をしなくてはならない。

「じゃあ、私はこれで」

「すみません、お引きとめして」

「いいえ」

七恵は教室に向かった。それから、未知子の質問の意味を考えようとしたがわからなかった。

佑美

閉じ込められている、と初めて感じたのはいつだったろう。

両親は長女の佑美を小さい時から可愛がってくれた。

もちろんその分、期待されるものも大きかったが、そのことに反発を覚えるよりも、むしろ応えることで佑美自身が満足していた。勉強して両親の望む私立の学校に入り、ピアノやバレエといった稽古ごとも熱心にやり、来客や近所の人には礼儀正しく、家では母親の手伝いを率先してやった。誰も信じないかもしれないが、両親に対して首を横に振った覚えは一度もない。

四歳下の妹は時折、「おねえちゃんは変わってる」などと憎まれ口をきいたが、それさえどこか誇らしい気分になった。

女子大を卒業しても、佑美は就職しなかった。正確に言えば、両親がそれを望まなかった。自分がいずれ、父の経営する病院の後継者を婿として迎える立場にあることは小さい時から理解していた。それまで病院の事務を手伝ったり、医学関係の集まりやパーティに顔を出して、そう遠くない将来に訪れるはずの、副院長夫人という立場に納まる時に必要なマナーや決まりごとを身につけておかなければならないと思っていた。

妹の理佳が大学に勝手に休学届を出して、ニューヨークに一年間の留学を決めた時は、本当にびっくりした。佑美の持っているものならチョコレートの銀紙でも欲しがった妹が、相談もせずにひとりで決められるようになっていたなんて、ぜんぜん気付かなかった。一年たって帰国した時に金髪の男の子を同伴してきたことも、家には戻らず六本木近くの小さなアパートで一緒に暮らし始めたことも、大学を辞めて輸入雑貨の仕事を始めたことも、半年ほどでその男の子とあっさり別れたことも、佑美はただ呆気にとられたように眺めていた。

閉じ込められていると感じたのは、たぶん、あの時だ。

別れてひとりになった理佳を、家に連れ戻すよう両親から頼まれて、初めてアパートを訪ねた時、築三十年はたっていそうなアパートで、理佳は拾い物やもらい物という家具に囲まれて暮らしていた。

佑美は思わず言っていた。

「こんなところに住んでるなんて」

コーヒーを淹れながら、理佳はゆっくりした動作で振り向いた。

「もしかして、その後に続く言葉は、かわいそう?」

佑美は理佳から目を逸らした。

「家に帰りましょう。心配しなくていいから。お父さんとお母さんには叱らないでって私から言ってあげるから」

そうやって、かつてずっと妹を助けてやったことを佑美は思い出していた。

理佳は笑い声を上げた。

「おねえちゃんって、本当にすごいね」

言いながら、コーヒーカップを持ってきた。とりあえず受け取ったものの、誰が使っていたかわからないようなカップに口をつける気など、到底なれない。

「何のこと」

「だから、おねえちゃんのこと」

「どういう意味?」

理佳は少し哀しい目をした。

「どうしてそこまで何も考えず生きられるんだろう。どんなに完璧に調教された犬だって、おねえちゃんほど疑問を持たないことはないと思うよ」

佑美は返す言葉に詰まった。

それから身体が細かく震えだし、何か言い返そうと口を開きかけたのだが、驚いたことに言葉は何も出てこないのだった。

家に帰って、理佳に戻る気がないことを両親に伝えると、ふたりはしばらく黙り込んでいた。そして、やがて顔を見合わせ、頷き合ってから佑美に視線を向けた。

「理佳のことは諦めましょう。でも、うちにはあなたがいるから」

「そうだ、佑美がいてくれるからそれでいい」

それは、今まで佑美にとって誇らしい言葉のはずだった。けれども、その時、閉じ込められたような気がした。いや、自分が閉じ込められているのかもしれないということに初めて気がついたのだった。

「それなのに、どうして両親の勧めた結婚を受け入れたのですか?」

隣を歩く広宗が、わずかに顔を向けた。

「そこから飛び出すには、私にできる唯一の方法だったからです」

「家を出ることは考えなかったのですか?」

「少しは考えました。でも、少しだけ。できるはずがないことはわかってましたから。それまで両親の庇護の下でしか生きたことがなかった自分に、いったい何ができるのだろうって考えても、何も思いつかなかったんです」

「そうして結婚して、その中で、また閉じ込められてしまったんですね」

「ええ」

歩き始めてもう二時間近くたっている。ここがどこなのか、佑美には見当もつかない。

「秋生はどうだったのだろう。あなたを閉じ込めてしまうようなことはありませんでしたか？」

「いいえ、まったく」

秋生は帰ってくると、迎えに出る佑美に対して、いつも一瞬、知らない誰かを見るような目を向けた。そのたび、佑美はここが自分の本当の居場所ではないことを感じた。いつかは出ていかなければならない場所。そうでなければ、置き去りにされる場所。

「私、秋生さんに閉じ込められたかった」

秋生はよく言った。

「君は自由だ。ここに留まるのも、ここを出ていくのも、すべて君の意志で決まる。誰も君に強要しない」と。

「あれだけ、両親や夫から逃れたいと思ったのに。私を決して閉じ込めようとしない秋生さんに、突き放されているような寂しさを感じてました」

「そうですか」

「勝手なものですね」

「僕はたぶん」

広宗は少し言葉を途切れさせた。

「閉じ込めていた方だ。あなたの両親や、ご主人のように」

佑美は広宗を見た。覚えのない風景の中に、広宗の姿がしっくり納まっていることを、佑美は不思議に思った。どこにいても、サイズが合わない服を着せられたように、居心地悪そうにしていた秋生とは対照的だった。

「妻や子供に対して、こうでなければならないという足枷《あしかせ》をはめていたんだと思います。自分では、そんなつもりはなかった。それが主《あるじ》としての当然の務めだと思っていた。妻は従順に仕えてくれるし、子供たちは優秀に育っている。そのことに僕はとても満足していた。でも、実際はそうではなかった。妻も子供も、僕に見せる面をうまく装う術《すべ》を身に着けていただけだったんです」

「どうして、そんなふうに思われるんですか」

「お恥ずかしい話ですが」

「ええ」

「妻の保険のプランというのを、この間、見てしまいました。秋生の保険の手続きをする時です。驚いたことに、妻は自分の人生から僕をはずしていました。僕の定年の後、ひとりで生きていくことを前提にすべてを考えているんです」

遠くで電車の音が聞こえている。

「驚きました。家庭のことも、付き合いも、すべて僕の言う通りにやっていた妻が、そう遠くない将来、僕を自分の人生からはずそうとするつもりでいるなんて。気がつくと、子供たちも同じようなものでした。大学を卒業したらこの家を出る、それまでの辛抱だと思っているのです。僕が帰ると子供たちは部屋に行ってしまう。僕にしたら、どうして部屋にばかり閉じ込もっているんだと思っていたのですが、子供たちにはそこが解放される場所だったのです。最近は、僕自身が家に帰ると息苦しく感じるようになりました。見慣れたはずの妻や子供たちの顔が、知らない誰かに見えてしまう。それも自業自得でしょう。妻や子供たちを閉じ込めてきた報いなんでしょうね」

「たぶん……」

佑美は慎重に言葉を選んだ。選び方を間違えれば、広宗をきっと傷つける。わかるのは、今、隣を少し前かがみで歩く、もう若くはなく、すべてを勝ちと負けでしか考えられなかったような男が、途方に暮れているということだ。

「それは、あなたが閉じ込めていたのではなくて、やはり、あなたが閉じ込められていたんだと思います」

「どういう意味だろう」

「あなたが、あなた自身に。こうでなければならないという檻《おり》の中に。夫として、父親としての立場に。きっと私もそうだったんだと思います。すべてを両親や夫のせいにしていただけで」

「僕は……」

広宗が呟く。

「そこから抜け出せるのだろうか」

佑美は黙った。その問いは、佑美もまた、何度も自分自身に繰り返しているものだった。

いつの間にか中目黒《なかめぐろ》駅の近くにまで来ていた。山手通りを越すと目黒川に当たる。護岸工事が行き届いた流れを覗き込むと、風が水面に白く細かい波を立たせていた。広宗が両岸に植えられた桜の木を見上げた。

「咲くのはまだずっと先だけれど、ここの桜並木は見事なんですよ」

「聞いたことがあります」

「咲いたら、また来ましょう」

「ええ」

「本当に綺麗だから」

「楽しみだわ」

佑美は少しばかりの感動を味わっていた。誰かと何かを約束する。そんな当たり前のことさえ、すっかり忘れていた。約束。それはそれまでの日々を、相手のことを考えて過ごすということだ。自分はどれだけ広宗のことを考えるだろう。

前から来た車を道の脇に寄ってやり過ごしてから、ふたりは再び歩き始めた。その時、誰かに呼ばれたような気がして佑美は振り返った。

さっきの車が停まり、開いた窓から女性が顔を覗かせている。その顔を認めた瞬間、足元の地面が抜け落ちたような気がした。

「やっぱり、おねえちゃん」

ドアが開いて、理佳が飛び出してきた。

走ろうとしたが、足が動かなかった。心臓の鼓動は速まり、混乱で頭の中がぼんやりしている。傾く身体を支えてくれたのは広宗だった。佑美はその腕をしっかりと摑みながら、理佳が近付いてくるのを待った。

協子

配送センターの二階にある事務所には、五十代半ばの課長と、ふたりの女性事務員がいる。あとは一階の現場に仕分け作業のためのパート従業員が数名と、ドライバーを兼ねた配達員が三十名ばかりだ。一階はひっきりなしに配送用のトラックが出入りし、人の出入りも激しかった。

事務員のひとりは白石里子という、協子より十歳ほど年下の女性で、もうひとりは去年入社したばかりのまだ二十歳そこそこの原由紀だ。

協子はとりあえず主任という肩書きがついているが、経験がないので仕事内容もよくわからない。結局、伝票のパソコン入力や、客からの問い合わせに応じるというような雑用的なことをしている。人手が足りない時には現場から声がかかるが、さすがにこのお腹では力仕事を引き受けることができず、時には露骨に皮肉られることもあった。特に里子ははっきりと口にするタイプだ。

「うちみたいなところに妊婦を出向させるなんて、どういうつもりかしら」

彼女にすれば、仕事内容がよくわかりもせず、周りに助けられながらやっと仕事をしているような協子が、どうして自分より立場も給料も上なのか、不満を抱くのは当然だろう。そのことに対して、協子は自分が文句を言う筋合いではないということはわかっている。彼女と同じ立場になれば、きっと自分も不満に思うだろう。

今日も、現場の仕分け作業で人手が足らず、事務所の方に声がかかった。課長がふたりの名を呼んだ。

「白石くん、原くん、行ってやってくれないか」

由紀の方はすぐに席から立ったが、里子はあらかじめ用意していたように答えた。

「今、ちょっと手が離せないんですけど」

「急ぎの仕事なのか？」

「お昼までに仕上げてくれって、昨日、課長が言ったんじゃないですか」

課長は一瞬、ムッとしたように眉を顰めた。

「私、行きます」

思わず、協子は席を立っていた。

課長が顔を向けた。

「大丈夫なのか？」

「はい」

笑顔で答えた。

そのとたん、里子がわざとらしい仕草で机の上の書類をまとめた。

「そんなこと、あなたにできるわけがないじゃないの。課長、この仕事、少し遅れても構いませんよね」

「ああ」

課長が仕方ないというように頷く。

「じゃ、行くわよ」

里子は、事務所のドアの前で困惑したように立ち尽くしていた由紀に声をかけ、ふたりは現場へと向かっていった。

課長がちらりと協子に目を向け、すぐに自分のデスクに視線を落とした。

協子を厄介者と思っているのは、里子ばかりではなく課長も同じだ。おそらく、この配送センターの誰もがそう思っているだろう。親会社は使いものにならなくなった社員ばかりを子会社に押しつけてくる、と。

妊娠するまで、いや、妊娠してからも、協子は仕事はきちんとやってきたつもりだ。会議の時に貧血を起こして倒れてしまったが、たった一度のことだ。父親のない子を産む。ただ、それだけで「使いものにならなくなった社員」にされてしまう。今まで積んできたキャリアもすべてないことにされてしまう。

散々考えて、この子を産む決心をした。何と引き替えてもいいと思った。後悔はしないと。苦労は承知だと。

本当にそうだろうか。本当に、自分はそこまで強い決心を持っていたのだろうか。秋生が亡くなり、それと引き替えのようにこの子が宿り、まるで運命のように感じられた。もしかしたら、悲しみに酔っていただけなのかもしれない。ドラマチックな展開に流されていただけなのかもしれない。

ふっと、不安にいたたまれなくなり、協子は席を立った。課長には洗面所に行くようなふりをして、事務所を出た。

最近、精神状態がどうにも不安定になる時がある。急にイライラしたり、悲しくなったり、時には、妙にハイテンションになり、周りを驚かせてしまうこともある。

自分の身体が、自分以外の誰かの意思に操られているような気がした。それはこの子だろう。すべてのことは、この子の存在が原因となっている。

落ち着くために何か温かいものでも飲もうと、階下の自動販売機まで行くと、仕分け作業を行なっているパートの人たちの声が聞こえてきた。その中には、里子や由紀の声も混ざっていた。

「結婚してないんでしょう」

「よくやるわよね」

「つまり、結婚できない相手ってことよね」

「となると、やっぱり不倫？」

「親会社の上司が父親じゃないかって話もあるらしいわ」

「だから、出向ってわけね」

「いい大学出て、一流の会社に入っても、結局はそういうことになるわけよ」

「子供の将来のことなんか、ちゃんと考えてるのかしらね」

「考えてるわけないでしょ。見るからに、お嬢様育ちじゃない」

「あの年で、お嬢様はないわよ。単なる世間知らず」

「じゃないと、産めないわよね、ひとりでなんて」

「意地なんじゃないの」

「生まれてくる子供にしたら、いい迷惑よね」

協子はその場を離れた。

噂されるのは覚悟していたことだ。今更、傷ついたりしない。

大丈夫、大丈夫。

小声で呟いた。それから、目尻を濡らすものを指先で素早く拭い取り、何事もなかったように事務所に戻った。

夕方、商店街の中で買物をしている近所のおばさんに会った。小さい時から知っていて、協子をよく可愛がってくれた。

「こんばんは」

頭を下げると、おばさんも「あら、今、お帰り?」と、気さくに言葉を返してくれたものの、その目は明らかに困惑を含んでいた。

すれ違ったあと、おばさんはきっとそこで買物をしている誰かと協子の噂をするのだろう。

「ほら、あの子が仲井さんとこの娘さんよ」

近所でも、協子の妊娠が評判になっているのは知っていた。

いったい誰の子なのか。結婚できないような相手なのか。

その好奇心と憶測は、会社も近所も同じだった。

人の噂も七十五日というけれど、本当にそれで済むのだろうか。会社のことはいい。それは協子だけに降りかかる問題で、どうとでもやり過ごせる。けれども、この場所で子供を産んで、この場所で子供を育てていく、そのことが果たしてよいことなのか、考え込んでしまう。

実家で暮らせば、両親がそばにいてくれる。そのことは何よりも心強い。働く上でも力になってもらえるし、精神的に安心感もある。ただ自分と子供がここにいる限り、噂の火種は消えないいだろう。子供が大きくなるに従って、興味や悪意が協子に対してではなく、子供に向けられることもあるかもしれない。ここから幼稚園に通い、小学校へ、中学校へと進学するうちに、噂が再燃し、真実が歪《ゆが》められたものになり、どんな形で子供に伝えられることになるか。それがまたいじめや差別に繋がらないとも限らない。それは子供に大きな影響を与えることになるだろう。

もし家を出るとしたら、果たしてやっていけるだろうか。ひとりで働き、ひとりで子育てする。産むと決心した時は、その覚悟がちゃんとできていたはずなのに、再び不安でたまらなくなる。

あ……。

協子は思わずお腹に手をやった。子供が暴れている。手と足をばたばたさせて、協子のお腹の内側を叩いている。抗議のように思えた。今更、何を言っている。何を迷っている。

協子はお腹をさすりながら、子供に声をかけた。

ごめんね、弱気なことを考えて。大丈夫だから、あなたのことはちゃんと守ってあげるから。

家に帰ると長兄が来ていた。

居間に入ってきた協子を見ると、眉を顰めて視線を外した。長兄にはすでに母を通して事情は伝えてあるが、協子の妊娠を快く思っていないことはわかっている。いや、この妊娠を喜んでくれている人間など最初からひとりもいないのだ。

「あら、おかえりなさい」

母親がいつも通りに迎えてくれたことに、いくらかホッとした。

父はソファで夕刊を読んでいる。不機嫌な顔だ。その向かいで長兄が同じような顔でコーヒーを飲んでいる。

「着替えてくるわね」

「その前にここに座れ」

長兄が言った。

協子は仕方なく、ソファの隅に腰を下ろした。

「久しぶり、兄さん。みんな、元気？」

「そんなことより、おまえ、どうするつもりなんだ」

投げ遣《や》りな言い方だった。答えに迷っていると、イライラしたように続けた。

「協子は愚図《ぐず》なくせに、変なところで強情な奴だったよな。それで、どうする」

「どうって、先のことはまだあまり……」

「先って言ったって、もう三ヵ月もしないうちに生まれるんだろう」

「そうだけど」

「病院は、今、通っているところでいいのか」

「いちおう、そのつもりだけど」

「子供を預ける場所とか決まってるのか」

「ううん、それはまだ」

「ずっと、ここで暮らすのか」

協子は黙った。

「近所っていうのは口うるさいぞ。ずっと言われるぞ。あそこの子供は、父親のない子だってな」

「修司」

父が言葉を遮った。

「それくらいの覚悟はついている。協子も、私たちも」

「父さん、これは大人たちの問題だけでは済まないんだ。もっと子供のことを考えるべきだよ。いちばん傷つくのは子供なんだ」

父は黙った。

「協子はどうなんだ。そういったことをどう考えているんだ」

どう答えればいいのかわからない。

「そんなことも考えないで、子供を産むつもりでいたのか。甘いんだよ」

協子の胸の底から溢れるように感情が込み上げてきた。

「兄さんには関係ないでしょ！　兄さんに頼ろうなんて思ってないわ。この子と私が、どうなろうと、それはみんな自分の責任です。そんなことぐらいわかってます。ここで育てるかどうかは、生まれるまでには考えるつもりだし、たとえどこで育てようと、兄さんには迷惑はかけません」

一気に言った。

長兄は短く息を吐き出した。

「迷惑はかけていいんだ」

協子は思わず長兄の顔を見直した。

「むしろ、迷惑をかけずに頑張ろうとする方が、こっちにしたら迷惑というか、つまりだ、少しは兄貴にもいい格好をさせろと言ってるんだ」

言っている意味がすぐにはわからなかった。

長兄は表情を緩めた。

「俺の知っているコンサルタント会社で、接客のレクチャーをする講師を探してるんだ。協子は確か、スチュワーデスの教育も受けてるし、社内で新入社員の教育も引き受けていただろう。そういうことを一般企業の社員向けに教えるという仕事だ」

「でも、私は……」

「まあ、聞け。そこは社宅と託児所を完備してる。経営者が女性ということもあって、働く女性に対しての理解が深い。まあ、時間的に不規則なのと、給料は歩合制だし、結構、出張が多いから子供と接する時間は少なくなるかもしれないが、留守の間も子供は任せられるし、俺は条件としては悪くないと思う」

「兄さん」

まさか、そんな話を持ってきてくれるなどとは考えてもいなかった。

「返事は今でなくていい。でも、できたらここひと月ぐらいの間に決めてくれないか。あっちの方は、お腹が大きくても来てもらうには構わないそうだ」

協子は長兄の顔を見た。そこには、小さい頃、なんだかんだと言いながらも、近所の
いじめっ子から守ってくれた、まだ「お兄ちゃん」と呼んでいた頃の長兄がいた。

「ありがとう、兄さん」

長兄は、少し照れたように目を細めた。

「それから、これは女房からだけど、信頼できる医者を知っているからいつでも紹介するってさ。あと、うちのお古で悪いけれど、いろいろと必要になりそうなものを送るからって。明日ぐらい、宅配便で届くと思うよ」

泣いているのは父だった。

真以子

仕事に没頭できるのが、唯一の救いのように思えた。

選びさえしなければ、それなりに仕事はあった。今までは、依頼があるのを待ってばかりいたのだが、こちらから知り合いの編集者やプロダクションに連絡を取ったり、直に訪ねたりした。

営業じみたことをするのは苦手だったが、それは単なる我儘《わがまま》だったと思う。頼まれた仕事なら、多少難があっても「そっちが頼んだのだから」という逃げがあった。もちろん、手を抜いた仕事をしたつもりはないが、結局、自信のなさが言い訳に繋がっていた。

「やらせてください」と言って引き受けた仕事はそうはいかないと、つい避けてきた。でも今は「やらせてください」と、無理にでも口にしている。そうして「何がなんでもやらなくては」という気持ちに自分を追い込んでいる。

そうすると確かに、どこかでうんざりしながらも、責任感のような、エネルギーのようなものが湧いてくるから不思議だった。

あまり条件のいい仕事でないものは、たいてい、締切が短い。昨夜もほとんど寝ないまま午前中に仕事を仕上げ、ついさっきバイク便で送ったところだった。

ようやく眠れると、ベッドに潜り込んだとたん、電話が鳴り始めた。無視しようかと思ったが、仕事かもしれない。真以子は受話器を手にした。

「もしもし、あの、北村真以子さんのお宅でしょうか」

聞き覚えのある声がした。

「はい、そうですが」

「突然、申し訳ありません。私、律子と言います。杉田律子です」

言葉に詰まった。杉田の妻だ。

「できたら、会っていただけませんか。会ってどうしても聞いていただきたいことがあるんです」

面食らったが、断ろうと思えば断れる。断る権利はこちらにある。杉田と結婚して、子供まで産んで、幸せな家庭を築いている相手となど会っても腹立たしい思いにかられるだけだ。

「お願いします」

しかし律子の声にはどこか切羽詰まったものがあった。断れなかった。

「どこにしますか」

言っていた。ホッとしたような声が返ってきた。

「私はどこでも構いません」

三時に代官山の喫茶店で会うことを約束して、電話を切った。

それまでに少し時間があるので、眠ろうとしたのだが、とても寝つかれなかった。いったい何の話があるというのだろう。どうしてここの番号を知ったのだろう。何度か無言電話をしたのがバレたのだろうか。真以子を責める気だろうか。それとも、優越感に浸るつもりだろうか。

約束の時間に喫茶店に行くと、律子はすでに来ていた。真以子は何度か律子を見ているが、彼女の方は一度だけだ。覚えていないのではないかと思ったが、真以子を確認すると席から立ち上がった。

どんな顔をしていいのかわからなかった。緊張しているとも思われたくない。相手は十歳も年下ではないか。鷹揚《おうよう》な態度で接したい。軽く見られたくない。わずかに頭を下げると、律子はどことなく人懐っこい笑顔を浮かべた。

「こんにちは」

「ええ、どうも」

向かい側の席に腰を下ろし、コーヒーをオーダーした。

「先日は、思いがけないところでお会いしてしまって」

「そうですね。今日、赤ちゃんは？」

「母に預けてきました」

退院してそう時間もたってないのに、律子はやつれた様子もない。さすがにウエストは長めのブラウスで隠しているが、それを除けば、子供どころか結婚していることさえも感じられなかった。それが若さというものなのかもしれない。

「突然、電話なんかかけてすみません」

「いいえ。でも、驚いたのは確かです。私の連絡先は誰に？」

「杉田に聞きました」

杉田が教えた？　何のために。

「それで、お話っていうのは何でしょう」

声が動揺しないよう、わざと事務的に言った。

「あなたと杉田はとても親しい間柄だと聞きました」

何と答えていいのかわからない。杉田はいったい、どこまで話したのだろう。

「仕事をよく一緒にしましたから」

「それだけではなく」

真以子はゆっくりと視線を上げた。今更、隠すのは却ってみっともないように思えた。

「もう、済んだことです。杉田さんがどう言ったのかはわかりませんが、彼はあなたと結婚して、子供まで生まれた。それでいいじゃないですか」

真以子が静かな口調で言うと、律子は不意に目の端を潤ませた。

「あなたのところに来るなんて、ルール違反だってことはわかってます。でも、どうしても会いたかったんです。会って、相談に乗ってもらいたいことがあったんです。杉田にもそのことは話しました。彼も、そうしてこいと言ってくれました。自分勝手なことはわかってます。でも、あなたにしか、たぶん、わかってもらえないから。両親も周りのみんなも、同じことしか言わないから……」

真以子は面食らっていた。いったい何を言おうとしているのだろう。ただ、抗議に来たわけではないことだけは確かなようだった。

「何があったんですか」

「杉田が中東に行くって言ってます」

「中東？」

「はい、そこをルポルタージュしたいって」

「どれくらい？」

「少なくとも、一年」

杉田はまだ捨ててはいなかったのだ。諦めてはいなかったのだ。

出会った頃のことを真以子は思い出していた。

あの頃、杉田は芸能人のスキャンダルや、風俗関係、流行《はや》り物の取材ばかりしていた。

しかし、いつか自分の身をなげうっても後悔しないような仕事がしたいと言っていた。

最初はその言葉に胸を打たれたが、いつしかそれは「ただの夢」に変わり果てていた。

どうせ口だけのこと。今の自分に対する言い訳。杉田をそんな冷めた目で見るようになっていた。杉田がたまに思い出したようにその話をしても、口では調子を合わせながら、実際にはまともに取り合わなくなっていた。

しかし、杉田は忘れてはいなかったのだ。

「あなたは、どう思ってるんですか？」

「もちろん……」

律子は顔を向けた。

「行かせてあげたいと思ってます」

驚いた。

「反対じゃないんですか？」

「彼の夢ですから。そのことはずっと聞いてましたから。できるなら叶えさせてあげたいんです」

そんな答えが返ってくるとは思ってもいなかった。

「でも、子供が生まれたばかりなのに。彼の行きたい場所が、どんな危険なところかわかってるんでしょう」

「ええ」

「命にかかわることだってあるかもしれない、それでもいいんですか？」

「無謀だわ」

律子が頷く。

「みんなは止めるべきだと言ってます。私が賛成するのはおかしいって。でも私は行かせてあげたい。その気持ちは、きっとあなたにならわかってもらえるような気がしたんです」

真以子は怯《ひる》んだ。

「杉田を本当に理解しているあなたになら」

真以子はゆっくりと顔をそむけた。

「私は、彼のことを理解なんかしてないわ」

思わず口調が変わっていた。

「そうでしょうか」

「そうよ、だから彼に去られたの」

「杉田は、あなたが去っていったと」

「それは思いやりから出た言葉ね」

律子が困った顔をしている。真以子はある意味で、今、自分の中で確信していた。

「残念だけれど、あなたの期待通りの答えは言えないわ」

「あなたも止めるということですか？」

「そう。もし、私があなただったら、きっと彼を中東なんかに行かせない。妻と子供を残して命を危険に晒《さら》すような真似《まね》をするなんて信じられないって言うわ」

「そんなこと」

「きっと言うわ。私は、とてもあなたのようにはなれない。そう、決してなれない……今、あなたの話を聞いて、ようやくわかったわ。私は結局、そんな程度の女なんだって。そんな程度でしか、杉田を愛せなかったということが」

律子がかすかに俯《うつむ》いた。

「私だって、本当は、無理してるんです。でも、行かせてあげたい気持ちも本当なんです」

真以子は律子を見ていた。

杉田が律子と結婚してから、ずっと被害者の気持ちでいた。若い女に恋人を奪われた、というのは勘違いも甚《はなは》だしい。律子は自分よりずっと大人だ。生き方も確固たるものを持っている。その上、逞しく、潔《いさぎよ》い。負けて当たり前だった。

「これでいいのよ」

呟くと、律子のまっすぐな視線が注がれた。

その目を眩《まぶ》しく、真以子は見つめ返した。

じゅん子

美しくない自分は、若い頃、男に見つめられることなどなかった。目の端にさえ留められない、完全に無視された存在だった。

当然のことと思い、きれいな女の子たちは何も感じていなかったろう。また、じゅん子自身が自分の分際として当たり前に受け入れている、とも思っていただろう。

本当はそうではなかった。自分が美しくないことを知っていても、いつも傷ついていた。

もし、美しくなれたら。

じゅん子はよく想像した。小さい頃は魔法使いが現われて望みを叶えてくれることを、大人になるに従って現実的に美容整形を施して美しく変身することを。そうして、それまでじゅん子を無視してきた男たちや、馬鹿にしていた女たちをあっと言わせる。その想像はじゅん子をうっとりと酔わせた。

どうして美容整形をしなかったのか。

それには即答できる。すれば、母と同じ人生を歩むような気がしたからだ。美しく生まれ変わった母は、それまでのウサを晴らすように男を渡り歩いていった。過去の自分を捨て、過去の自分そのままの血を受け継いだじゅん子を捨てて、女として生きることだけを求めて姿を消した。

母のように生きたくなかった。もし、母と同じように生きれば、母を赦《ゆる》すことになる。

母が死んだという報《しら》せを受けたのは、下の厚士を妊娠している時だ。病院が九州だと知った時は驚いた。どんな経緯で、その地に移り住んだのかはわからない。遺体の引き取り手がなく困っていたところ、遺品から、かつて祖母が出した葉書が出てきたらしい。連絡を取ったが、すでに祖母は亡くなっていて、跡を継いだ、じゅん子にとっては伯父に当たる人に行き着き、ようやくじゅん子に報せが届いたのだった。

夫の達郎と遺体を引き取りに出向いたが、ベッドに横たわっている母を、どうしても自分の母と認識することができなかった。別れたのが小さい時だったせいもあるが、わずかな記憶に残る美しい母親とは程遠い姿だった。かといって、写真で見たことがある美しくない頃の母親ともまったく違っていた。

早い話、母は人という感じがしなかった。まるで浜辺に打ち上げられた流木のように、痩せて小さく萎《しぼ》んでいた。その姿を見ただけで、どんな生き方をしてきたか容易に想像がついた。

遺体を連れて帰ることはせず、現地で荼毘《だび》に付し、遺骨は祖母の墓に入れた。涙は出なかった。冷淡かもしれないが、悲しいというより、安堵していた。美しくなっても、母は幸せにはなれなかった。美しさは何の役にも立たなかった。その安堵感を遺してくれたことだけは感謝している。それ以外、母への思いはない。思いを持とうにも、母の記憶はあまりに少なすぎた。

谷山との逢瀬《おうせ》は相変わらず続いていた。

昼下がりの円山町のラブホテルの一室で、汗ばんだ身体をこすりつけ合いながら、夫としたことのないような淫《みだ》らで狂おしいセックスをする。セックスそのものがもたらす快感以上に、自分がこんな場所でこんな格好でこんなことをしている、という思いがじゅん子を恍惚に導いていく。

「そろそろ一時になるけど、大丈夫？」

谷山の言葉にじゅん子はうっすらと目を開けた。

「いいの、病院に通ってることにしたから」

先日、未知子とまた少しやりあったことを思い出していた。

昼休みの戻りが遅いことをまたもや指摘され、「上に相談する」と脅されて、じゅん子は先手を打つように、直接、総務の添田課長に泣きついたのだった。

「すみません、身体の具合がよくなくて、病院に通ってるんです。診察日はどうしても三十分くらい戻るのが遅れてしまいます。勝手な言い分ですが、その分、時間給を引いていただいても構いませんから、通わせていただきたいんです。よろしくお願いします」

もともと、さほど仕事に熱意のない総務の添田は、時間給を削るということですぐに受け入れてくれた。三十分なら五百円ばかり引かれるだけだ。それがだいたい月四、五回で、二千円から二千五百円。それくらいで、谷山との時間を確保できるなら安いものだ。

「ただ、そのことを沢田課長がなかなか認めてくださらないので、できましたら添田課長からお口添えをお願いできないでしょうか」

「わかった」

と、この申し出に対してもいとも簡単に添田は引き受けた。

その結果、未知子は何も言わなくなった。そうなれば、もうこっちのものだ。

「実は、仕事を変えようかと思ってるんだ」

不意に谷山が言った。

「そうなの？」

じゅん子は上半身を起こした。

「どんな仕事？」

「まだ具体的に決めたわけじゃないんだけど」

「ホテルの警備員は不満？」

「夜の勤務が多いだろう。道也も難しい年頃になってきたし、一緒に過ごせる時間をもう少し取れるようにしたいんだ。この間、明け方に戻ったら、付けっ放しのテレビゲームの前で服のまま寝ててね。テーブルの上にはいつものコンビニの弁当が食べかけのまま置いてあって、それを見たらひどく不憫《ふびん》になってね。このままじゃいけないって思ったんだ」

もし、谷山が仕事を変えれば平日の昼に会うのは難しくなるかもしれない。外回りがあるような仕事ならいいが、内勤になったりしたらそう時間は作れないだろう。今は仕事場が近くて時間も有効に使えるが、勤務先がどこになるかによっては、会えなくなる可能性も高くなる。夜や休日ではじゅん子が出にくい。今のままでいたい。いて欲しい。いてもらわなければ困る。

「だったら、道也くんのことは任せて」

思わず言っていた。

「任せるって?」

谷山が顔を向ける。

「あなたの帰りが遅い時は、うちに寄越《よこ》してくれればいいの。ご飯を食べさせて、お風呂に入れて、それからアパートまで送っていくわ。あとは寝るだけ。何ならうちに泊まっていってくれてもいいの。それだったら安心でしょう」

「いや、いくらなんでもそこまで」

「いいのよ、ひとりぐらい増えても夕飯なんて大した手間がかかるわけじゃないんだから。どうせ夫の帰りも遅いんだし、気にすることないわ。仲のいい道也くんだもの、きっと厚士も喜ぶわ。一緒に宿題なんかやってくれたら、むしろこちらが助かるくらい。ね、だから」

「いや、でも……」

「いいの、そうして」

谷山を手放すわけにはいかない。もう、谷山のいない生活なんて考えられない。以前の、何もない主婦に戻りたくない。セックスをこれだけ堪能しておいて、今更、あの餓《う》えた生活に戻れるわけがない。

「ね、そうして」

じゅん子は念を押すように言った。

その夜、いつものように夫の遅目の夕食を終わらせ、台所で後片付けをしていると、夕刊とニュース番組とを交互に見ていた達郎が、思い出したように言った。

「そういえば、今日、会社に変な電話があったなあ」

じゅん子は洗い物の手を休めることなく尋ねた。

「変な電話？」

「おたくの奥さん、浮気してますって」

思わず、手が止まった。次の瞬間、心臓が大量に血液を送り出した。

「奥さんって、私のこと？」

「そうだろ」

「へえ、何それ」

三年前に買った中古の家は流しが対面式ではない。だから顔が見えない。今までは不満だったが、初めて感謝した。

「女の声でさ、短く言って、それでガチャンさ」

「いたずら電話？」

「間違い電話さ、決まってるだろ。切ってから、俺、笑っちゃったよ。奥さん浮気してます、なんてさ。俺の奥さん、見たことあるのかって返してやりたかったね」

「あら、それはひどいわ」

少し余裕を取り戻し、じゅん子は笑いながら抗議した。

「したかったら浮気、してもいいんだぞ」

その声のニュアンスから達郎が完全に見縊《みくび》っているとわかる。それは、かつてじゅん子を目の端にも留めなかった男たちと同じだった。

「そんなの、できるわけないでしょ」

「俺も一度くらい、そんな心配をしてみたいもんだよ」

達郎にとっては、すでに笑い話になっていることに、とにかく安堵した。

「あなたこそ、どうなの？」

「俺か？」

「浮気してるなんてことはないの？」

「そんな体力と金がどこにあるんだよ」

「それがあったら、浮気するってこと？」

「するさ、するに決まってるだろ」

「あっそ」

達郎の浮気ぐらいとっくに知っていた。水商売の女、風俗の女、時には、会社の後腐れのない女。布団の中で唇を噛み締めた時もあったが、今は、家庭を壊さないならそれでいいと思っている。離婚するほどの度胸はないはずだし、じゅん子の方も谷山がいる。

それにしても、いったい誰が。

見当もつかなかった。谷山とのことはもちろん誰にも話してない。一緒にいるところを見られたのだろうか。注意して、ホテルも連れ立って出ないようにしている。だいたい、わざわざ夫の会社にまで連絡するとはどういうことだろう。夫の言う通り、間違い電話ということだろうか。

とにかく、絶対にバレてはいけない。今の生活を壊すことなど考えられない。かといって、谷山のことは手放せない。美しくない自分が、美しくなった母には手に入れられなかったものを、摑んでいる。夫と情夫。もう二度と自分にそんなチャンスは巡ってこないだろう。そんなに簡単に壊されるわけにはいかないのだ。

「風呂に入るよ」

「下着とパジャマ、脱衣籠の中に入れてあるから」

「ああ」

短く言って、達郎が風呂場に行く。その後ろ姿が消えてから、しばらく硬直したように、じゅん子は溢れる水に両手を浸した。手首には、谷山からプレゼントされたブレスレットが張りついていた。

七恵

美弥は本当に愛らしかった。

白いシフォンの生地で作った衣裳《いしょう》と、髪に飾った白い羽がよく似合い、セリフ回しも子供とは思えないほどしっかりしていて、周りのどの子と較べてもいちばん利発に見えた。ほとんど涙ぐみそうになりながら、七恵は娘の姿を追った。

秀一も同じだったらしい。目を細め、誇らしげに美弥を眺めている。

学芸会が終わったあと、美弥を間に三人手を繋いで外に出た。美弥はまだ興奮が冷めやらず、三人で外出するのが久しぶりのせいもあってか、ずっとお喋りを続けていた。

美弥の気持ちは、もちろん七恵にはわかっていた。お喋りをやめてしまったら、秀一が「じゃあ、また」と言うのではないかと恐れているのだ。七恵も同じだった。

だから、「よかったら、どこかで夕飯を食べないか」と秀一が口にした時、美弥より喜んだのは七恵の方だったかもしれない。

美弥が七恵を見上げた。

「ママ、もう言っていい？」

七恵はわずかに笑って頷く。

「そうね」

「何だい？」

「今日ね、ママ、朝からたくさんお料理を作ったの。もしかしたら、パパがおうちで食べるかもしれないって。でもね、それを先に言っちゃいけないって言われてたの。よかった、お夕飯、おうちで食べてもいいよね。パパの好きな茶碗蒸しだってあるのよ」

七恵はどんな顔をしていいのかわからない。頬に秀一の視線を感じた。

「もちろんいいさ。楽しみだな、ママの茶碗蒸しはおいしいからな」

美弥が得意げに顔を上げた。

「ほらね、パパ、来るって言ったでしょ。美弥が絶対に来るって言っても、ママは言っちゃ駄目だって言うんだから」

「美弥」

七恵は柔らかくたしなめた。

車を拾い、白金のマンションに向かった。車の中でも、美弥はべったりと秀一から離れなかった。前に、秀一の新しい妻と、美弥にとっては弟となる雅樹と会ったことが強く印象に残っているのかもしれない。秀一はもう自分ひとりのパパではないということを認識したのだろう。あの時、美弥はいつもの抱っこをせがまなかった。自分の立場というものを、幼いながらわきまえた振る舞いをしていた。だからこそ、こうして三人で過ごす時は、思う存分、甘えたいに違いなかった。

それはマンションに着いてからも同じで、七恵が食事の用意を整える間も、美弥は秀一にまとわりついた。

キッチンからその様子を眺めながら、七恵はひどく満ち足りた気分で、久しぶりに料理に腕をふるった。昨日のうちに買い出しに出掛け、朝のうちにすべての下準備は整えてある。秀一の好きな野菜や豆腐を中心としたシンプルな、けれども決して手を抜けない煮物や和《あ》え物を用意した。

部屋はすっきりと片付いている。大々的に掃除をしたのも久しぶりだ。先の白くなったスリッパは買い替え、床に積み重ねられていた新聞や雑誌は片付け、観葉植物の葉にうっすらと積もった埃も拭き取った。

それでも、かつての七恵の生活ぶりからは程遠い。ソファの色合いがフローリングの床と微妙に合わないのが我慢できず、わずか半月で買い替えてしまったことがあったなんて、今は信じられない気持ちだ。センスやこだわりよりも、住んでリラックスできる部屋がいい。テーブルの端にシールが貼ってあっても、少しぐらいカーテンが短くても構わない。

夕食は賑やかだった。秀一がこの部屋で食事をするのは離婚してから初めてで、美弥はすっかり嬉しがり、大人びた仕草でおちょこに日本酒を注いだりした。そんな美弥に、秀一もまた相好《そうごう》を崩し、七恵も何度も声を上げて笑った。

　こうしていると、三人が家族だった頃のことが思い出された。本当の家族だったあの頃の方が、どこか歪みのようなものが漂っていたような気がする。七恵も秀一も、それぞれに窮屈な思いを抱えていて、たとえば、秀一は夫として父親としての役割を、七恵は妻として母親としての役割を、互いに相手から非難されることのないよう心を砕き、必死になってまっとうしていた。リラックスするには、何かが足りなかった。いや、過剰だったのかもしれない。今は何もない。互いに肩から力が抜けて、楽しむことは楽しめばいいという思いだけがある。

　八時を過ぎると、さすがに疲れたのか美弥がうとうとし始めた。それでも「まだ寝ない」と目をこすりながら頑張っている。

「だって美弥が眠ったら、パパは帰ってしまうんでしょう」

「駄目よ、美弥、我儘を言っちゃ」

　さすがに七恵はたしなめた。

「どうして。雅樹ちゃんは、毎日、パパと一緒にいるじゃない。美弥なんか、一緒にいるの、ほんのちょっとよ。いつもちゃんと我慢してるんだから、今日ぐらい、いいじゃない」

　その言葉に、七恵は胸を衝《つ》かれた。

　三年前、パパとママは離れて暮らすことになった、と美弥に話した時、美弥は少しも駄々をこねることなく、黙って受け入れた。七恵にすれば、かなりの覚悟をもって話したつもりでいたので、思わず拍子抜けした。まだよく意味がわかっていないのかもしれない、いや、子供なんてこんなものかもしれないと、胸を撫で下ろしていた。きっと美弥も美弥なりに胸の中で逡巡《しゅんじゅん》したに違いない。そのことに気付かなかった自分を、いや、気付こうと思えばそうできたのに、気付かないふりを通してきた自分を、今更ながら、美弥に鋭く指摘されたような気がした。

「まだ、いるさ」

秀一が美弥を抱き上げた。

「そんなすぐには帰らないから」

「ほんと」

「でも、もう寝る時間だね」

「そうだけど……」

「寝る前は、いつもママに本を読んでもらうと言ってたね」

美弥がちらりと七恵を見た。

「でもね、ママ、本を読むのがすごく下手なの。それに三ページ目でいつも美弥より先に寝ちゃうの」

七恵は聞こえないふりをして、テーブルを片付け始めた。

「よし、じゃあ今夜はパパが読んでやろう。こう言っては何だけど、パパはうまいぞ」

「うん、読んで読んで」

「美弥、うんじゃなくて、はいでしょう」

美弥はもう耳も貸さない。

「『アルプスの少女ハイジ』がいい。ほら、クララが歩けるようになるところ」

キッチンで後片付けをする七恵に代わって、秀一が美弥に歯を磨かせ、パジャマに着替えさせ、ベッドに寝かしつける役割を引き受けてくれた。それから、いそいそとふたりで美弥の寝室に入っていった。

やがて、リビングのテーブルにコーヒーの用意が整った頃、秀一が部屋から出てきた。

「ありがとう、助かったわ」

「美弥は優しい子に育ったね」

「そう？」

「クララが立ち上がった時、頑張れ頑張れって、必死に呟いてた」

「子供って不思議ね。もう何度も読んで聞かせてるのに、いつも初めてみたいに感動するの。もしかしたら違う結末のお話になるんじゃないかと、いつもドキドキするんですって」

「そんな感受性を持っているのは、きっと美弥だけだと思うな」

七恵は小さく笑った。

「親馬鹿ね」

「確かに」

ソファに並んで腰を下ろし、コーヒーを飲んだ。ついさっきまで、あんなに和やかに会話をしていたのに、ふたりきりになるとどうにもぎこちない雰囲気に包まれた。改めて話すことなどもう何もないように思えた。

秀一の方も同じだったらしい。すぐにカップを空にした。それは帰るという意思表示なのかもしれないと思ったとたん、秀一が言った。

「じゃあ、僕はそろそろ」

その言葉に促されるように、「そうね」と七恵はソファから立ち上がった。

「今日は本当にありがとう」

「僕の方こそ。美弥の成長ぶりを目《ま》のあたりにできて嬉しかった」

もどかしい思いが胸を満たしていたが、言葉にすることができなかった。口にしたとたん、何かまったく違ったことを言ってしまいそうな気がした。

ダイニングの椅子にかけてあったジャケットを手にして、七恵は秀一の背にかけた。

毎朝、こうして秀一の背に背広の上着をかけていた。あの頃は、仕事へ送り出すためではあったが、必ずここに戻ってくるとわかっていた。今は、送り出すためだけに上着をかける。

「美弥が羨ましいわ」

その背に向かって、七恵は呟いた。

「え？」

「振り向かないで」

自分の声が緊張で、わずかに震えている。

「美弥はいつまでもあなたの娘だわ。会いたいと言えば、あなたは必ず会ってくれる。あなたの、父親として美弥を愛する気持ちもきっと一生変わらない。でも、別れた妻は他人だわ。いいえ、他人以下ね。会いたいと思っても、それを口に出してはいけないの。そんな気持ちすら持ってはいけないの。別れる時、話したわよね。結婚する前の、いい友達だった頃に戻ろうって。そんなのは綺麗事だわ。戻って、そこからまた始まるわけじゃない。もっと前の、あなたを知らなかった頃に向かわなければならないんだわ」

秀一は黙っている。それが賢明だと、七恵は思った。何を言われても、きっと自分は焦《じ》れったく思うだろう。本当のことなどあなたには何もわからない、わかるはずがないと感じるだろう。

「おやすみなさい」

秀一の背に、七恵はわずかに手のひらを当てた。

「このまま振り向かないで、帰って」

ほんの短い躊躇《ためら》いのあと、秀一がリビングのドアに向かって歩き始めた。その向こうに姿を消し、靴を履く気配があり、玄関のドアが開いて、閉まる。

しばらく七恵は立ち尽くしていた。

何て馬鹿なことを口走ってしまったのだろう。これでもう秀一とは会えない。これからは以前のように、美弥との面会の時間を電話で短く打ち合わせ、迎えに来た秀一の車をベランダから確認し、部屋の中で美弥を見送ることになるだろう。

いいや、これでよかったのだ。秋生が死ぬという、思いがけない出来事がきっかけで再会してしまったが、そのことがなければ何も起こりはしなかった。離婚した夫に、今更、こんな気持ちを抱いてどうするというのだ。互いに心も身体も味わい尽くし、その上で結論を出したのだ。このまま会っていれば、混乱はもっと深くなる。これは未練というよりも、執着というよりも、たぶん感傷だ。会わなくなれば、また元の生活に戻る。会っていなかった頃のように、秀一は「かつて夫だった男」以外の何者でもなくなる。

玄関の鍵をかけに、七恵はリビングのドアを開けた。その先に、秀一の姿を認めて、思わず小さく叫び声を上げた。

「帰らないよ」

秀一がいくらか掠れた声で呟いた。

「君の言葉を聞いたからじゃない。本当は、最初から帰りたくなかったんだ」

自分はどうすればいいのか、何を答えればいいのか、七恵にはわからなかった。ただ、秀一が靴を脱いで近付いてくるのを、息を潜《ひそ》めるようにして待った。

佑美

目黒川に面した静かな喫茶店で、佑美は理佳と向き合った。

六年ぶりで見る妹は、ベリーショートにしていた髪を伸ばし、ファッションも化粧も落ち着いた雰囲気に変えて、ずいぶんと大人びていた。眩しいような思いで佑美は眺めた。

「探したのよ」

理佳は責めるでもなく、穏やかな口調で言った。

「お父さんもお母さんも、それはもう手を尽くして」

「ごめんなさい」

どう言っていいのかわからず、佑美は手元に視線を落とした。

「それで、どうしてたの？　東京にずっといたの？」

「ええ、ひとところじゃないけれど」

「だったら連絡ぐらいくれてもよかったのに。どんなに心配したか」

「そうね、本当にごめんなさい……それで、みんな元気？」

もちろん両親のことだ。

「元気なわけないじゃない。おねえちゃんが出ていってから、ふたりとも白髪もシワもすっかり増えて、急に年寄りになってしまったわ」

「そう」

広宗は少し離れた席で、ひとりコーヒーを飲んでいる。決して自分を残して席を離れることはない、その確信があるからこそ、佑美は安心してカップに手を伸ばすことができる。

「ひどい娘ね。親不孝もいいところ。本当に何て言って謝ればいいのか見当もつかないわ」

「お父さんやお母さんもそうだけど」

短い間を置いて、理佳は尋ねた。

「お義兄《にい》さんのことはどうなの？」

佑美は黙った。理佳が疑問に思うのは当然だった。誰よりも、まず夫のことを気にかけるべきだろう。

再び、佑美は広宗を見た。広宗が佑美の視線を受け止め、頷く。それだけで、佑美は落ち着きを取り戻した。

「彼のことは、あまり考えないようにしていたの」

「そう」

「それで、彼はどうしてる？」

「驚くかもしれないけど、今も、うちの病院にいるわ」

さほど驚きはしなかった。夫は、佑美との生活以外のところでは、穏やかで誠実な人柄だった。両親にとっても病院にとっても頼れる存在だった。

「おねえちゃんと暮らしていたマンションを出て、今はひとりで住んでるけど」

理佳は続けた。

「私は家に戻ったの、おねえちゃんがいなくなってしばらくしてからね。ずいぶん好きにさせてもらったから、その恩返しみたいなものかな。おねえちゃんの代わりというわけにはいかないけれど、何とかやってるわ」

「そう」

佑美はコーヒーを口に運んだ。

「それで、おねえちゃんは今はどうしてるの？」

「ひとりで暮らしてるわ」

「生活なんかは大丈夫なの？」

「まあね」

「働いてるの？」

「ええ」

細かい事情を省略しても、嘘をついていることにはならないだろうと思った。

「私ね」

呟くように言いかけて、理佳は言葉を詰まらせた。

「どうしたの？」

「私、話さなくちゃいけないことがあるの」

「何？」

「おねえちゃん、ごめんなさい。謝らなければならないのは本当は私の方なの」

意味がわからず、佑美は首を傾《かし》げた。

「私、聞いたわ、おねえちゃんが家を出ていった理由。お義兄さんとの間で何があったのか、みんな」

咄嗟《とっさ》には言葉が出ない。

「でも、そのこと、お父さんにもお母さんにも言ってないの。だから今も、ふたりはおねえちゃんが出ていったわけがわからないでいるの。その方が、本当は苦しいに決まっているんだけど、私、やっぱりどうしても言えなかった。お義兄さんも、自分から言おうとしたのよ。何度も。でも、私が止めたの。お義兄さんがひどく後悔して、それを償《つぐな》うように、うちの病院に尽くしてくれているのをずっと見てきたから。もし、本当のことを知ったら、お父さんもお母さんも、お義兄さんを病院に置いておくわけにはいかないでしょう。でも、今はもうお義兄さんはうちにはなくてはならない存在なの」

佑美はふと、ある直感のようなものにかられて、理佳を見つめ直した。

理佳は細かく肩を震わせている。その姿は、小さい時、佑美にまとわりついていた頼りなげな幼い妹そのままに戻っていた。

「それでも、ちゃんと言わなければならないってことは、私、すごくわかってる。本当のことを言わない限り、おねえちゃんは救われないもの。でも、いったいどう言っていいのかわからないの。言ったあと、何がどんなふうに変わってしまうのか怖くて……私、私ね、お義兄さんのこと……」

佑美は言葉を遮った。

「いいのよ、理佳。言いにくいことを無理して言う必要はないわ。あなたがそれでいいなら、それでいいの。何があったかなんて言わなくたって、私は救われないことなんかない。そのことで、あなたが後ろめたい気持ちなんか持つことはないの」

「でも、おねえちゃん」

理佳が顔を上げた。その目に、佑美は一途《いちず》さを見て取った。

「離婚届、送らなくちゃね」

「…………」

「失踪して七年たてば、自然に成立すると聞いてたから、そのままにしておこうと思っていたんだけど、それじゃ間に合わないわね」

「そうじゃないの、お義兄さんとはそんなんじゃないの。私が勝手に思ってるだけ。お義兄さんは今でもおねえちゃんのこと」

「そんなことあるはずないじゃない。私たちに何があったか聞いたなら、それは理佳だってわかってるはずよ」

理佳は黙った。

「私たちは、結局、自分の役割を演じていただけなのよ」

もう陽が傾き始めている。通りのアスファルトに落ちていた日差しが、佑美の足元まで伸びてきている。

理佳は少し落ち着いたようだった。

「今日、おねえちゃんに会ったこと、お父さんやお母さんに話してもいい？」

佑美の胸の中に痛みが広がっていく。両親には償うことのできない大きな苦しみを背負わせてしまった。それでも理佳の決心を考えると、今は話すことがよい方法だとは思えなかった。

「手紙を書くわ。いつかはちゃんとそうしなければならないと思ってたの。心配しないで、彼のことに触れるつもりはないから」

「ええ……」

「でも、理佳に会えてよかった。会うまでは、会うことがないようにって、いつも祈っていたけれど」

「私もよ、会いたいのに会うのが怖かったわ」

「理佳、これだけはわかっておいてね。私はあの人のせいで不幸になったわけじゃないの。それなら、あの人も私のせいで不幸になったということだもの。私たちは一緒に生きる相手を間違えただけ。ただそれだけのことなの。だからみんな忘れて、理佳は自分の思いを遂げればいいんだから」

「本当にそれでいいの？」

「それでいいんじゃなくて、それがいいの」

そろそろ切り上げ時に思えた。佑美は広宗を見た。それに応じるように広宗が席を立つ。

「行くの？」

「ええ」

「あの人と？」

「そう」

「あの人と、一緒に暮らしてるの？」

「そうじゃないわ。でも、一緒に生きているって気がしてるわ」

広宗が近付いてくる。促されるように、佑美は立ち上がった。

「理佳、元気で」

広宗が理佳に礼儀正しく頭を下げる。理佳がそれに応える。佑美は広宗の隣に立ち、並んで店を出る。

外に立つと、佑美は初めて広宗の手に自分の手をからませた。広宗が力強く握り返し、「帰ろう」と呟いた。

どこへ？　とは言わなかった。どこへ行こうと、別々の場所であろうと、ふたりは同じところに帰るのだと思った。

協子

会社には辞表を提出した。

それは事務的に受理されて、協子は十五年勤めた会社を退職した。誰にも見送られることなく、声をかけられるわけでもなく、拍子抜けするほどあっさりしたものだった。

長兄が紹介してくれたコンサルタント会社へ行く決心はもう固まっていた。社宅も託児所も完備しているとのことだが、あと二ヵ月足らずで生まれる子供のことを考えると、しばらく時間が欲しかった。

家を出て暮らすのは初めてだ。ひとり暮らしの経験もなく、その上、子育てという大仕事も始まる。心の準備も含めて、しばらく時間をかけたいと思っていた。

家を出ることは、実は協子よりも両親の方が不安がっていた。三十七歳になっても、親にとっては協子は世間知らずの娘のままなのだった。それに何の疑問も持たずもたれかかってきたのは協子の甘え以外の何物でもない。父と母の不安気な表情と向き合うたび、有り難いような面映《おもは》ゆいような気持ちになった。

部屋の整理をしていると、母が何度も顔を出した。

「いいじゃないの、そのままにしておけば。いつでも帰ってこられるようにしておいた方が便利でしょう。何も今いらないものを持っていかなくても、いるようになったら取りに来ればいいんだから」

そう言って、せっかく段ボールに詰めた季節はずれの服を、またチェストの中に戻していく。

以前の自分なら、そんな母をいくらか鬱陶《うっとう》しく感じたかもしれない。私のことは放っておいて、もう子供じゃないんだから、とあしらったように思う。

今は素直に頷くことができる。自分が母になるということで、母の気持ちもまたよくわかるようになっていた。

そんな毎日を過ごすことで、協子は驚くほど気持ちが安定するようになっていた。ついこの間まで、本当にこれでよかったのかという、いてもたってもいられないような不安に発作的に襲われた。そのたび、お腹は固くなり、子供まで緊張しているのが感じられた。

もうそんなことはない。すべてのことが、ひとつの方向に向かってゆったりと流れている感じがする。その大きな流れに身を任せておけばきっとうまくいく、そんな確信を得ることができるのだった。

よく晴れた週末、協子は午後になって家を出た。

外出するのは久しぶりだ。ずっと胸の隅に引っかかっていながら、決心がつかないままに、結局、こんなに時間がたってしまった。

今日こそ訪ねよう。

渋谷から井の頭線に乗り、下北沢に向かった。ここのところ、急にお腹が重くなったように感じられ、階段の上り下りに息が切れた。電車で、学生服の男の子に席を譲られて、ちょっと嬉しかった。

駅に着くと、花屋の店先でカサブランカが見事に開花しているのに惹かれ、花束にしてもらった。

それを胸に抱えてアパートのドアの前に立つ。ドアには「高瀬」という小さなプレートがはめ込まれている。まだ、引っ越さずにいてくれたことにホッとしながら、心持ち姿勢を正し、呼吸を整えて、協子はチャイムを押した。

「はい」

短い返事があった。

「突然、すみません。私、仲井協子と言います。あの、秋生さんの大学の同窓生で、お葬式の時にお参りさせていただいた者です」

ドアが開かれ、佑美が姿を現わした。あの時、協子はすっかり我を失っていてあまり記憶がないのだが、ひっそりとした雰囲気が、確かに秋生の棺の横でうなだれていた姿と重なった。

「私のこと、覚えていらっしゃるかどうか」

「もちろん、覚えています。どうぞ、お上がりになってください」

「では、失礼させていただきます」

部屋は質素にまとめられていた。必要なもの以外、いっさい持とうとしなかった秋生の生き方そのままの部屋に思えた。

小さなチェストの上に秋生の写真と骨壺《こつつぼ》が置いてある。白いトルコ桔梗も飾られていた。

「これを」

協子は花束を手渡した。

「ありがとうございます。今、花瓶に挿しますね。よかったら、煙草に火をつけてやってください。お線香の代わりにしてるんです。秋生さんにお線香は似合わないでしょう」

そう言って、佑美はかすかに笑った。キャメルはいつも秋生が吸っていた銘柄だ。

「でも、お腹の大きい方にお勧めしちゃいけないですよね」

「いいえ、そうさせてもらいます」

協子はキャメルを一本抜き取り、口にくわえて火をつけた。煙と匂いの中に、秋生の記憶が思いがけない鮮やかさで甦った。佑美がそれを察したかのように、花束を抱えてキッチンに入っていく。

秋生……協子は呟いた。

もうすぐ生まれるのよ、あなたの子。

「よろしければ、どうぞ。お茶を淹れました」

協子は我に返り、促されるまま佑美の向かいに腰を下ろした。

すべてを話すべきかどうか、協子はまだ決心がつかないでいた。秋生を失っただけでも失意の中にいるだろうに、知らない女から秋生の子供を宿していると聞かされれば、どんなに深く傷つくことか。黙って、何も言わず、このまま帰った方がよいのかもしれない。この目の前の女性を傷つける権利など、自分にあるはずもない。ここに来て、秋生に報告ができたことだけで満足しなければならない。

「ごめんなさい、失礼なことをお聞きしてもいいかしら」

佑美に言われ、協子はいくらか躊躇《ためら》いながら頷いた。

「はい」

「もしかして、お腹の赤ちゃんは、秋生さんの子供でしょうか」

言葉に詰まった。どう答えるべきか、まだ決心がつかなかった。

「もしそうなら、こんなに嬉しいことはありません」

「嬉しい？」

協子は思わず聞き返した。

「ええ、もちろん」

「どうしてでしょう。奥さんなら、怒りはあっても、嬉しいなんてことは」

「私、秋生さんの奥さんじゃないんです」

協子は思わず目をしばたたいた。

「それはどういう……？」

「確かに、一緒に暮らしていました。姓も高瀬を名乗ってました。でも、奥さんじゃないんです。籍が入ってなかっただけじゃなくて、私たち、本当の意味で夫婦ではなかったんです」

それから佑美は小さく息を吐き出した。

「秋生さんは私を救ってくれ、私を受け入れてくれました。この六年間、私は秋生さんに生きさせてもらったようなものです。私にとって、秋生さんは夫ではなく、恩人なんです」

そこにどんな事情があるのか、詳しいことはわからない。それでも、協子は佑美の言葉を理解することにさほどの労力を必要とはしなかった。あの秋生なら、それもあるかもしれない。秋生はいつだって、思いがけないことを、まるで呼吸するようにいとも簡単にやってしまう男だ。

隠す必要はないのだと、協子は肩から力を抜いた。

「そうです、この子は秋生の子です」

佑美は表情を柔らかく崩した。

「よかった。ちゃんと秋生さんが生きた証《あかし》が残って、本当によかったわ」

「佑美さん」

協子は膝を整えた。

「はい」

「お願いがあるんです」

「何でしょう」

「秋生さんの骨を少し分けていただけませんか」

驚きもせず、佑美は頷いた。

「ええ、もちろんです」

それから立って、チェストの上の骨壺を手にしてテーブルに置いた。

「本当は、お墓に入れなくてはならないんでしょうけど、秋生さんも私も、そういうお墓がないので、こうなったら私が死ぬまで、ずっとこの骨を大事に持っていようと思ってたんです。秋生さんが、この六年間、私をずっとそばに置いてくれたように」

骨壺の中に、白い骨が見えた。協子は手を入れ、最初に指に触れた骨をつまんだ。思ったより重く、そして、温かさを感じた。

骨を手のひらで包み込み、協子はしばらく目を閉じた。

笑う秋生、皮肉な秋生、孤独な秋生、寂しい秋生、自由な秋生、優しい秋生、愛しい秋生。すべての秋生がこの小さな骨の中に存在している。

協子は、自分が泣いていることにも気がつかなかった。

真以子

「本当に行くのね」

「ああ」

あっさり言って、杉田はスコッチの水割りのグラスを口に運んだ。

「奥さんと生まれたばかりの子供がいるというのに、命をかけるような真似をあなたはするのね」

真以子はグラスに口をつける気にもなれない。

ふたりは広尾のショットバーにいた。律子と会った翌日、真以子から連絡を取ったのだ。

「律子は納得してくれてるよ」

「もし、本気でそう思ってるのだとしたら、あなたは本当におめでたい性格だわ。無理してるに決まってるじゃない。仕事の邪魔をしてはいけない、男の決心を揺るがすようなことを言っちゃいけないって、律子さんなりに必死に自分を納得させようとしてるのよ」

「わかってるさ」

「だったら、どうして」

「今度の中東行きは、俺が俺を取り戻す、最後のチャンスなんだ」

「妻と子を犠牲にしても？　それが男のロマンとでもいうの？　そんなの、身勝手すぎるわ」

「じゃあもし、今、俺が行くのをやめると言ったら、律子がそれで満足すると思うか？」

杉田の目と正面からぶつかり、真以子は少し狼狽《うろた》えた。

「律子は自分を責めるようになるだろう。俺を行かせなかった、そのことに後ろめたさを持つに決まっている」

「そう思うように仕向けたのは、結局、あなたじゃない。それはとても残酷なことよ」

「真以子なら、俺を行かせないか？　無理にでも引き止めるか？」

テーブルの向こうから、杉田にストレートな質問をぶつけられ、真以子は思わずたじろいだ。

「そんなこと……私はあなたの奥さんじゃないもの、子供なんかいないもの、わかるはずないわ」

「君なら、俺を行かせてくれたろう。律子もそれがわかるから、君に会いたいと言ったんだ」

「私は、そんな物わかりのいい女じゃないわ」

「いいや、君ならそうだ」

「どうして」

杉田は真以子を見つめながら、長く息を吐き出した。

「君だって、俺と同じように自分を取り戻すチャンスを待っているからさ」

「何を言ってるの？」

「君が、俺を中東に行かせないような女なら、俺の結婚の申し込みを受け入れてただろう」

「馬鹿なことを」

「真以子、君こそ自分を取り戻せよ」

「やめて」

「そのことに、ちゃんと目を向けろよ」

「あなたに何がわかるのよ」

反発する自分の声が掠れていた。

じゅん子

思い当たる人間がひとりいた。

確信があるわけではないが、わざわざ夫のところにまで電話を入れるような嫌がらせをするのは、じゅん子に反感を持っている相手に決まっている。

今、自分にそれを抱いている人間がいるとしたら、未知子しかいないように思えた。

もちろん、証拠があるわけじゃない。ただパンフレットのことといい、遅刻の件を別の課長に訴えたことといい、プライドの高い未知子のことだ、そんなじゅん子の態度を苦々しく感じていただろう。

「少し、慎重になった方がいいと思うの。だから、しばらく会うのをよそうと思って」

カルチャーセンターのロビーにある公衆電話からじゅん子が言うと、谷山がくぐもった声を返してきた。

「そうか……」

自分と会えないことを、こんなにも残念がる男がいる。そのことにじゅん子は再びうっとりした。

「会えないっていっても、ほんのしばらくの間だけよ。一ヵ月、ううん三週間、それくらい間をあければ大丈夫だと思うの。私だって会えないのは辛いのよ。あなたと一緒にいる時がいちばん本当の私でいられるんだもの」

こんなセリフは、ドラマや小説の中でしか使われないと思っていた。

谷山はどんな落胆の声を出すだろう。それでも会いたいと、少年のように駄々をこねられたらどう答えよう。少しくらいなら、夜、出たって構わない。夫が残業で遅くなる日、どこかで一時間ぐらいの逢瀬なら。

「実は、田舎《いなか》の方で働き口が見つかったんだ」

思いがけない言葉が返ってきた。

「え？」

「小さな工務店なんだけど、リフォーム流行りで人手を探してるそうだ。いい機会だから、この際、田舎に戻ろうと思うんだ」

「ちょっと待って、それってどういうこと？」

「君にはいろいろ世話になった」

「何を言ってるの。いやだわ、急にそんなこと」

「迷ってたんだけど、ようやく決心がついた」

焦りがじゅん子を包んだ。

「どうしたの、私がしばらく会わないなんて言ったからそんな意地悪を言うの。いいわ、わかったわ、時間は何とかするわ。私だって本当は会いたいんだから。今すぐにだってあなたとしたいんだから」

「いや、無理をしてご主人に知れるようなことになったら取り返しがつかない」

じゅん子の受話器を持つ手に力がこもった。

「田舎に帰るなんて嘘でしょう」

「今月中には引っ越すつもりでいる」

全身に怒りにも似た烈《はげ》しい感情が広がった。

「そんな、勝手にみんなひとりで決めるなんて、どういうことなの」

「すまないと思ってる。これでも、いろいろ考えたんだ」

谷山が去ろうとしている。谷山を失ってしまう。そんなこと、できるはずがなかった。じゅん子にとって、谷山はもうなくてはならない存在だ。私の身体の隅から隅まで舐《な》め回し、私に会いたいと胸を焦がす男など、二度と現われない。

「そんなのいやよ。私を置いて行ってしまうなんて、いやよ、いや。絶対に許さない」

ここがカルチャーセンターのロビーであることも忘れて、じゅん子は声を上げていた。

七恵

いつものように美弥を迎えのバスまで送り、マンションに戻って朝食の後片付けと、掃除洗濯をした。

午後からはビーズ教室に出掛けることになっていた。今までの教室の他に、初心者用の時間割をひとつ受け持つようになったので、材料を選びに専門店に出掛けたりデザインを考えたりしなければならず、その分、忙しさは増していた。

それを負担に感じているわけではなく、七恵は十分に楽しんでいた。

ビーズ細工を始めてかなりたつが、最近になってようやく愉しさがわかってきたように思う。材料を選ぶにしても、アンティークショップで古代ガラスを選んだり、時には少々値の張る瑪瑙《めのう》や琥珀《こはく》を取り入れたり、かと思えば鉱石を使ったりもする。デザインのアイデアもどんどん膨らんで、家事の合間にふと手を止め、広告の裏でも何でも、慌ててデッサンする時もある。

始めた頃はこうではなかった。退屈しのぎ、暇つぶし、いや、むしろ逃げ場に近かった。

秀一との夫婦生活のズレが、いつも七恵の胸の中に張りついていて、それから目を逸らすためのひとつの手段だった。別にビーズ細工でなくてもよかった。何も考えないでいられる時間が手に入れられるのなら何でもよかった。

今は、続けてきてよかったとつくづく思っている。ばらばらのパーツが、少しずつ形を成してチョーカーやブレスレットや指輪になっていく過程は、自分の中の絡《から》まった何かをほぐしていくことと重なった。教室に通っている女性の多くは既婚者だが、彼女たちもまた、七恵と同じような思いを抱いて通ってきているのかもしれない。

昨夜、秀一と会った。

美弥を実家に預け、ふたりだけで食事をした。そうして、ホテルに入った。

別れた夫と、それもすでに再婚し妻も子供もいる秀一と、そういった関係を持つことは非難されるべきことなのだろう。そのことはよくわかっている。

七恵に、もう一度妻の座に戻りたいなどという望みは毛頭なかった。ただ、今がいちばん、秀一と理解し合えているような気がしていた。

結婚していた頃、近すぎて見えなかったものが、今はよく見える。秀一の思いやりも優しさも、同時に、弱さや迷いも。結婚していた時も秀一は優しかったし、思いやりもあった。けれど、それは秀一のというより、夫としての、父親としてのそれだったように思う。今は役割も肩書きもない秀一そのままの姿が見えてくる。そんな秀一と出会えたことに、七恵は安堵し、また安らぎを覚えた。

食事の途中に秀一の携帯電話に奈保子から連絡が入ったが、その時、嫉妬していない自分に七恵は心からホッとした。

奈保子に対しては後ろめたい気持ちがある。申し訳ないとも思っている。ただ、身勝手な言い分かもしれないが、理解してもらいたいことがひとつある。

自分は秀一を取り戻したいと思っているわけではないということだ。それは秀一も同じだろう。七恵とやり直そうと思っているわけではない。

以前、秀一が言ったことがある。

「僕たち、いつもふたりじゃなかったね」

結婚した時から、いや、たぶん付き合い始めた時から、七恵と秀一の間には、秋生というどうにも目を逸らすことのできない存在があった。

互いに口に出すことはなかったが、何をしていても何を話していても、まるで秋生が隣に立っているような気がして、戸惑ったことがたびたびだった。

けれど、もう秋生はいない。

本当の意味で秋生を失ってしまったという、その悲しみはあるが、どこか、ようやく解放されたような気持ちがあるのも事実だった。

これで、ようやくふたりきりになれたのだ。

結婚していた時、ちゃんとしておかなければならなかったことを、離婚した今、始めている。あの時、どうしてもっと互いを見ようとしなかったのだろう。言葉を尽くして語り合おうとしなかったのだろう。もっともっと、愛さなかったのだろう。

私たちは、過去の空白を埋めている。そこはあくまで過去の場所であって、未来ではない。今が未来に繋がることも決してない。

いつか、もう一度、秀一との別れが来るだろう。そうして、その時こそ、美弥への責任と愛情とで、父親と母親としての新しい関係が築かれるに違いない。

その時まで……。

七恵は祈るように思う。

その時まで、もう愛し足りないことはないくらい、秀一を愛したい。

佑美

便箋を前にして、佑美は長い時間、座り続けていた。

父と母にいったい何をどう書けばいいのか、想いは胸の中に溢れているのに、それを文字にするための言葉がどうしても見つからないのだった。

親不孝は十分承知している。ある日突然、娘が短い置き手紙だけを残して行方をくらましたら……その衝撃と混乱は、子供のない佑美にも容易に想像がつく。けれども、あの時はそれしか選択肢が思い浮かばないほど追い詰められていた。

両親に対して、何をどう謝ろうとも取り返しがつかないことはわかっている。それがわかっていても、佑美は今も、自分のしたことを後悔しているわけではなかった。

秋生と出会い、秋生と暮らしたこの六年間は、すべてのことから佑美を解放してくれた。娘として、妻として、姉としての役割を課せられて、自分は閉じ込められていると感じていたが、実は、閉じ込めていたのは他でもない、佑美自身であったことも知るようになった。この六年間は、自分からの解放でもあったのだ。

もしかしたら自分にもこんな生き方があるのかもしれないと、頭の隅で想像した人生を、今、現実に生きているのだろう。かつて両親や妹や夫がいたことの方が、逆に想像の中の人生のように思えてしまう。

確かに今、自分はここにいる。ここにいて、呼吸をし、食べ、眠り、生きている。それを実感することができる。それをどう伝えればいいだろう。どうすれば、これ以上両親を傷つけることなくわかってもらえるだろう。

ドアがノックされた。出てみると、広宗が立っていた。

「こんにちは」

もう毎日のように顔を合わせているのに、会うたびに、広宗はいつも困ったような顔をして、礼儀正しく頭を下げる。

「いらっしゃい」

佑美は広宗を部屋に招き入れた。

「手紙ですか？」

広宗がテーブルの上の便箋に目を落とした。

「ええ」

「もしかして、ご両親に？」

「そうなんです。でも、何をどう書けばいいのかわからなくて。今、お茶を淹れますね」

「その前に、ちょっと座ってくれませんか」

改まった口調で、広宗が言った。

「はい」

佑美は言葉に従い、広宗の向かいに腰を下ろした。

「妻に離婚を切り出しました」

何も言えなかった。そのことについて、たとえどんなささやかな意見であれ、自分に述べる資格はないと思っていた。

「僕の気持ちはもう決まっています。残る人生を、あなたと一緒に生きていきたい」

それは佑美も同じだった。

「ところが驚いたことに、妻は離婚を拒みました。別居するのは構わない、誰とどうしようが好きにすればいい、でも、離婚はしないと」

「そうですか」

「すみません」

「どうして謝るんですか」

「あなたを、日陰に置くようなことになってしまう」

「日陰だなんて」

古めかしい言い方に、佑美は少し笑った。

「可笑《おか》しいですか？」

「私はちゃんと結婚していたけれど、あの時の方がよほど日陰で暮らしていたような気がします。あなたと一緒なら、そこはいつでも陽がさしている場所に思えます」

広宗は安心したようにわずかに頷いた。

「いずれ、家業は息子が継ぐことになるでしょう。そうすれば今、僕の持っているほとんどのものは息子に渡すことになる。妻もきっと考えが変わると思います」

「そんなことは本当にいいんです。どうか気になさらないでください。何て言えばいいのでしょう、私は、あなたと結婚したいわけではないんです、ただ一緒に生きていきたいだけなんです」

広宗はわずかに目を見開いた。

「だから、そんな顔をしないで」

広宗はようやく頰を緩めた。

「そうですね」

「温かいお茶を飲みましょう。とても香りのいい玉露があるんです」

佑美はキッチンに立ち、お茶を用意した。

両親にはありのままの気持ちを伝えようと思っていた。たとえ文章にならなくても、佑美の胸の中にある言葉をそのままに。ごめんなさいとも、私は幸せですとも、ありがとうとも。

足りないものを数えるような生活はもう自分には必要ない。今、自分の手の中にあるものですでに満ち足りている。

佑美は顔を上げた。秋生の写真に向かって無言で語りかけている広宗の背が見える。その背に寄り添いたい思いにかられて、佑美は茶を淹れる手を止め、静かに広宗に近付いた。

じゅん子

「お母さん、道也とおじさんが来てるよ」

玄関から厚士の声がしている。

じゅん子は答えず、夕食の用意を続けている。

「お母さん、お母さんってば」

業を煮やしたように、台所に厚士が顔を出した。

「引っ越ししちゃうんだって、それでお礼を言いたいんだって。ねえ、どうして出てこないのさ」

「いいの。道也くんは厚士のお友達なんでしょう、厚士がちゃんとお別れすればそれでいいの」

じゅん子は手を休めないまま、つっけんどんに言い返す。

「でも、おじさんが」

「お礼を言われることなんか何もしてませんって、言っておいて」

ぴしゃりと言うと、さすがに厚士も諦めたらしく、玄関に戻っていった。

「何か、お母さん、ちょっと忙しいみたいで、すみません」

子供なりの精一杯の気遣いをしながら、厚士が謝っている。じゅん子は手を動かしながら、谷山の声に耳をそばだてている。

「いや、いいんだ。そうだね、夕飯の支度の忙しい時にお邪魔して悪かった。どうか、お母さんにくれぐれもよろしく伝えておいてくれないか」

「はい」

「厚士も元気で」

道也のいくらか沈んだ声が谷山に続いた。

「うん、道也も」

それに厚士が答えている。

「じゃ」

ドアが閉まる。厚士が居間に戻ってくる。谷山は行ってしまう。もう二度と会えない。もう永遠に。

じゅん子はいたたまれない思いにかられ、小走りに居間に行くと、電話の子機を手にした。それを持ったまま二階へと上がる。もう指は、谷山の携帯電話の番号を押していた。

「もしもし」

耳元で何度も聞いた、谷山の声がする。まるで身体のドアを開けられるように、その声に濡れてきた。

「どうして」

自分の声が掠れている。

「どうしてなの、どうしてこんなことになってしまうの」

「君にはすまないと思ってる」

谷山の声は落ち着いていた。

「謝るぐらいなら、行かなくてもいいじゃない。働き口なんてこっちにだってあるわ。探せばきっと何だって。田舎なんて、きっと道也くんのためになんかならないわ。友達もいなくて、すごく寂しい思いをするに決まってるわ。都会から転校していった子はみんないじめられるの。田舎ってそういうところなんだから」

「道也とも、よく話し合った末なんだ。賛成してくれている」

思わず、ヒステリックに叫んだ。

「いったい私は何だったの！」

「落ち着いてくれないか。君には感謝してるんだ。君に会えて本当によかった、おかげでみじめなだけの東京じゃなくなった」

「そんなこと聞きたいんじゃない。ねえ、今からでも遅くないわ。田舎に行くのはやめてちょうだい。私たち、あんなにうまくいってたじゃない。これからだって、きっとうまくいくわ。だから、ね、こっちに残って」

「行かないか？」

不意に谷山が言った。

「え？」

じゅん子は言葉に詰まった。

「僕と一緒に田舎に行かないか？」

「………」

「子供たちも連れて来ればいい」

「そんなこと……」

「できるはずがない、よね」

返す言葉はなかった。それはつまり、じゅん子自身、答えが出ているのを認めたということでもあった。

「これでよかったんだよ」

何をどう言っても、もう谷山は戻らない。そのことをじゅん子は痛感した。

「いつかは、こういう日が来るんだから」

「私は、私は……」

「わかってる、僕も同じ気持ちだから」

「…………」

「ありがとう、元気で」

電話は切れ、じきに断続音が流れ始めた。

じゅん子は崩れるようにその場に座り込んだ。

もともと、谷山のような男が現われること自体、自分には奇跡のような出来事だったのだ。元の生活に戻るだけのことだ。夫とふたりの息子との毎日。それだって、自分には上出来の人生のはずだった。

腕に巻きついたブレスレットを、じゅん子は握り締めた。

けれども、本当に戻れるのだろうか。谷山によって知ってしまったあの身体がとろけるような快楽を、今さら何もなかったように捨てることなどできるのだろうか。

それは不安というより、恐怖に近かった。

「どうした？」

襖《ふすま》が開いて、達郎が顔を覗かせた。じゅん子は慌てて涙を拭った。

「早かったのね」

「残業すらもカットの世の中さ。電気代がもったいないとか、常備のお茶やコーヒーを飲みすぎるとか、そこまで言われて残業する奴は馬鹿だ」

「そうね」

階下では、拓巳と厚士がお腹をすかせて夕食を待っている。

じゅん子は立ち上がった。

「すぐ、ごはんの用意ができるから」

私は何も失ってはいない。悲しむことは何もない。そんなこともあった、あんな人もいたと、いつか苦笑しながら思い出す、そんな日がきっと来ると信じることだけが、今の自分を支えてくれる。

それでも、立ち上がった瞬間、吐きそうなほどの喪失感に捕われて、じゅん子はしばらく動けずにいた。

協子

新しい生活のための準備は、着々と進んでいた。

仕事に就くのは、子供が生まれてから三ヵ月後という約束も取りつけてある。子供を迎える準備と引っ越しのための荷物の整理が重なって、やらなければならないことが次から次へとあり、毎日、協子は忙しく過ごした。

子供の名前をどうするか。

そのことにも、頭を悩ませていた。秋生の名前からひと文字をもらおうという思いもあるが、秋生にそっくりだったら大変だな、という思いもある。似た子が欲しいのに、似て欲しくない。親の思いとはやっかいなものだ。

名前に関しては、父も母もそれぞれに本を買い込んでいろいろと研究しているようだ。そんな両親には申し訳ないが、協子は自分でつけようと決めていた。その名は、これから自分の名より多く口にすることになるだろう。できたら、男の子でも女の子でも、どちらでも不自然ではないような名前をつけたいと思っている。そうなると、いっそう難しい。

ふと揺れを感じて、協子は服をたたむ手を止めた。地震だった。タンスの上の置時計がカタカタ音をたてて揺れている。すぐに収まると思っていたが、揺れはかなりきつく、協子はお腹に手をやり緊張した。

家には誰もいない。父は最近、週に三回ほど、公民館で囲碁教室の先生のようなことをしている。母はたまたまマッサージに出掛けている。この家にいるのがひとりであることに、いくらか不安を覚えた。

ようやく揺れが収まった。

震度3、いやもしかしたら4近くあったかもしれない。それから、ひとりで子供を育てていくとはこういうことなのだと、気がついた。これから先、何かトラブルが起きた時、そばに誰もいない時の方がきっと多いだろう。そのことを不運に思わないこと、嘆かないこと、受け入れること、その覚悟を持たなければならない。

再び、荷物の整理を始めると、お腹の奥底でぎゅっと小さな痙攣《けいれん》が起こったような痛みを感じた。やはり子供も今の地震に驚いたらしい。「大丈夫」と、声をかけた。

「何でもないから、心配しないで」

その時、痛みはすぐに治まったが、十五分ほどして、また同じような症状が起きた。今度は何か意志が感じられるようなはっきりとした痛みだった。そしてもう一度。その痛みがだいたい十五分間隔であることに気がついた時、協子は間違いないと感じた。

陣痛だ。

予定日までにはまだ十日以上あるが、今の地震で子供も慌ててしまったのかもしれない。

もう一度待った。ほとんど正確に、十五分後に痛みがあった。それを確認して、協子は入院する段取りがついている病院に電話をした。事情を説明すると「すぐに来院してください」と言われた。

電話でタクシーを呼び、普段着にしていたジャージからマタニティドレスに着替え、必要なものが詰められているボストンバッグを手にして階段を下りた。その間にも、痛みはやってきて、協子は身を屈《かが》めてそれをやり過ごした。

父も母もまだ帰らない。

「陣痛が始まったようなので、病院に行きます」

ダイニングテーブルの上に、メモを残して玄関を出た。

タクシーはすでに来ていて、協子の姿を見ると、運転手はびっくりしたように車から降りてきた。父と同じくらいの年齢だった。

協子が座席に座るのを手伝ってくれてから、心配そうな顔をした。

「付き添いの方は？」

「いいえ、いません」

「大丈夫ですか、ひとりで」

「はい」

と、答えてから、協子は言い直した。

「大丈夫です。この子とふたりですから」

運転手はわずかに笑顔を作った。

「強いんですね。苦しくなったらいつでも言ってください」

それから運転席に戻り、慎重に車を発進させた。

また痛みが始まった。協子はお腹を抱え、囁《ささや》いた。

「もうすぐね、もうすぐ会えるのね、私たち」

再び、この道を通って実家に帰ってくる時、この腕の中には秋生の子供がいる。それを想像しただけで、満ち足りた思いが身体を埋め尽くしていく。

協子は自分を抱き締めるように、身体に両手を回し、静かに目を閉じた。

真以子

引っ越しを決めたのは、何もかもを変えたくなってしまったからだ。

今更ながら、真以子はつくづく思う。結局、自分を見放していたのは、誰でもない、自分自身だったのだと。

いつもいつも物事を先回りして、何が起きても心が惑わされないよう冷静に受け止め、自分のペースを乱さず生きる。それがいちばん自分を守る術《すべ》だと思っていた。期待しすぎるから後で失望する、はしゃぎすぎるからしっぺ返しを食らう。静かに生きたい。無欲でありたい。何ものにも心を乱されず、穏やかに、自分の生活の中ですべてを完結させ、朽ちていきたい。

そんなこと、できるはずがなかった。そして本当のところ、そんな生き方を真以子自身が望んでいたわけでもなかった。自分をこの生活の中から無理にでも引き摺《ず》り出してくれる存在を、どこかで待っていた。

自分が出ようとしない限り、ここからは出られないということに、ようやく気がついた。明るい日差しが浴びたいのなら、自分の手で鍵をはずし、窓を開けるしかない。

杉田は行ってしまった。いつかは帰るだろうが、たとえ帰ってきても、帰る場所はここではない。

杉田との五年間が詰まったこの部屋は、今の真以子には重荷に感じられた。いないことを常に意識しなければならない部屋は、息苦しくもあった。環境を変えるという方法は、今の真以子にできるもっともわかりやすい行動に思えた。

公園の近くがいい。

別に意味があるわけではなく、そう思った。それだけを条件にして部屋を探し、不動産屋と物件を見に行った。呆気ないくらい簡単にそれは見つかった。駅からは遠かったが、そんなことぐらい大した問題ではなかった。自転車を買おうと思った。築二十五年と相当に古かったが、好きに改装していいと言われた。流し台のドアにポップな模様のシートを張ろう。窓からは、公園の緑が見え、植物の香りがかすかに流れてくる。迷うことなど何もなかった。

そうして半月後には、新居となるマンションに引っ越していた。

引っ越しを終えたその夜、さすがに疲れて夕食を作る気になれず、真以子はコンビニで弁当を買ってきた。

マンションに隣接している駐車場を抜けようとしたその時、小さく猫の鳴く声がし、思わず足を止めた。

停まった車の下に、子猫が蹲《うずくま》っていた。

「ミィ」

と、思わず呼んだが、そんなわけはない。屈んで覗き込むと、子猫は少し警戒したように真以子を見上げ、また小さく鳴いた。

屈んだまま、真以子は尋ねた。

「ひとりなの？」

子猫が困ったように首を傾げている。

「私もひとりよ。どうする？　私と一緒にうちに来る？」

けれども、子猫は車の下から出てこない。

「あなたが決めるといいわ」

しばらく、子猫は躊躇《ちゆうちよ》するように真以子を見上げていたが、やがてそろそろと足元に近付いてきた。

真以子は子猫を抱き上げた。

柔らかく、温かく、甘やかな重みが、真以子の両腕にかかる。

懐かしさにも似たその感触に、泣きそうになっている自分を感じながら、真以子は猫を抱いたまま、ゆっくりとマンションに向かって歩き始めた。

解説

温水ゆかり

この『今夜 誰のとなりで眠る』は、唯川恵さんが直木賞を受賞した二〇〇二年暮れに、単行本として刊行された。受賞作『肩ごしの恋人』と、執筆の時期がしばらく重なっているはず。そう考えると、ユイカワケイという作家の頭のスイッチは、どうなっているのだろう。

あの年、『肩ごしの恋人』をなんて痛快な小説だろうと思いながら快読し、この『今夜 誰のとなりで眠る』を、なんて野心的な小説だろうと、その吸引力にびっくりしながら味読したことを、つい昨日のことのように思い出してしまう。まったくカラーの違う作品を、同じような時期に、あっさりものしてしまうこの凄腕《すごうで》。

唯川さんの作品群を大別すれば、まったく性格の違うキャラクターの二人が、ときにぶつかりあい、ときに理解し合いながら直線的に物語を牽引《けんいん》していく群と、十人十色とでも言いたげに、複数の女性が曲線的に(あるいは螺旋《らせん》的に)物語を膨らませていく群がある。前者は躍動感や疾走感が魅力で、音楽でいえば音色《ねいろ》が魅惑の後者では、読者は読み終わった後、言葉にしがたいような大切なメッセージを受け取ることになる。

本書は後者で、女たちの群像小説だ。それも、滑らかな水面に石を投げ入れると、波紋が静かに大きく広がっていくように、ある訃報が、女たちの奥深いところでひっそり眠っていた魔物を目覚めさせてしまうような多声の群像小説である。殺人が起きたり、死体が転がり出たりするわけではないけれど、女たちの心模様がなんともサスペンスフルでスリリング。

この物語に登場する主な女性は五人。彼女たちの日常にさざ波（あるいは嵐）を起こすのは、高瀬秋生《あきお》という一人の男の死である。

訃報を受け取る女性として最初に登場するのは、フリーのエディトリアル・デザイナーの真以子。大学卒業後、図書館司書という定職に就いたが、小さな編集プロダクションに転職。編集の仕事を覚えて、自宅でする今の仕事に落ち着いた。

秋生の死を電話で伝えてきたのは、大学時代の友人で、大手航空会社の地上サービス課に勤める協子。彼女は大学時代秋生と付き合っていたことがあり、つい三ヶ月ほど前、十五年ぶりに運命的に秋生と再会。秋生は何度目かのデートの日、彼女の目の前で車にはねられた。

「お通夜に行ってもらいたいのよ」。そう上司に言われて、パート仲間の「夫」の死を知るのは、稲本じゅん子だ。典型的なサラリーマンの妻で、印刷会社に勤める夫と、二人の子供がいる。

エルメスを上品に身につける白金マダムの鹿島七恵は、秋生の親友である秀一から知らされた。七恵は秋生と別れた後、秀一と七年間の結婚生活を送った。三人は三角関係というより、青春の一時期をともに過ごした〝共生関係〟にあったといっていい。

そして五人目の女が、秋生の「妻」、高瀬佑美。パートタイム先のカルチャーセンタ一では高瀬姓を名乗っているが、実際は秋生と結婚していたわけではない。どこかわけありの寂しげな女だ。

どの女性も、年齢は三十代の半ばから後半。秋生の死によって、彼女たちを襲う悲哀の質も当然違う。「やっぱり……」と、なぜか感じてしまう複雑な感慨、夢遊病状態といってもいいような激しい動揺、同情と性的な疼《うず》き、甘苦い追憶、体の芯《しん》が崩壊してしまったような悲嘆の暗闇。

いわばこれらがドラマのプレリュード部分で、冒頭、彼女たちの〝五人五色〟の暮らしぶりを紹介しつつ、それぞれの性格や容姿、これまでの経歴などを手際よく、かつ的確に伝えていく唯川さんの描き分けっぷりには、本当に素晴らしいものがある。

読者は当初、登場人物の多さに名前や経歴を覚えきれずにちょっと戸惑うかもしれない。

私はこの本を読み始めたとき、「あ、この女たちには色のあだ名がつけられる」と思い（青の真以子、ベージュの七恵など）、色のイメージで読み進めたが、女優さんの名前に詳しい若い読者は、映画やテレビドラマのキャスティング係になったつもりで配役しながら読むと、いっそう興がますかもしれない。そういえば、本書を当代きっての女優さんたちの競演で映像化しないのは、企画する人たちの怠慢だと思うけれど。

閑話休題。個性も生き方も違えば、悲哀の色も違う女たち。普通、私たち読者は小説を読むときは感情移入できる人物、どこか自分と共通項がある人間に肩入れして読んでいくものだが、本書はもっと複雑な魅力を持っている。

たとえば、自分の生活で手一杯で、付き合っている男はいても、結婚なんて考えられないエディトリアル・デザイナーの真以子。彼女は自分の生活信条をこう語る。「贅沢ができるわけではない。けれども、贅沢を望んでいるわけでもなかった。家賃が払えて、食べることに困らず、足元で丸まっているミィと生活できればそれでいい」。この部分を読んだとき、私は同じフリーという（明日をもしれぬ）立場から〝そう、そう。分かる、分かる〟と親近感を抱いた。ところが、真以子はある手酷《てひど》い裏切りにあう。普通なら一緒になって怒るところだ。でも……。

これは本当に裏切りなの？　真以子が傷つくのは分かるけれど、傷つく資格はあるの？　いっさいリスクをとらなかった自己充足型の女が、自分に復讐《ふくしゅう》されているだけじゃないの？　そう思い始めたとき、鏡に映った自分の醜い姿を見せられた気になったことを、ここで告白しなければならない。正しいとか正しくないとか、魅力的とか魅力的じゃないとか、そういったものを超えて、一人の女性をまっすぐ見つめる唯川さんの〝鏡の目〟が、そう気づかせてくれた。

私は、ここが本書の奥深いところ、「大人の小説」たる所以《ゆえん》だと思う。自分とはまったく縁のない女性だと思っても、必ずどこかでハッとさせられる。東京の中流家庭で育ったお嬢様の協子にも、平凡な結婚がいちばんと思っているじゅん子にも、雑誌の中でしか見たことのないような白金マダムの七恵にも、自分のカケラを見つけてしまう。

ヒト科のオンナ属であることの、痛み、哀しみ、歓び、後悔、夢、憧れ。さっき五人の女たちに色のあだ名を付けながら読んだと書いたけれど、ドラマが進んで行くにつれ、彼女たちの横顔を彩る輝きや翳《かげ》りという感情のプリズムに、けして女は一色《ひといろ》ではないことを思い知らされるのだ。

登場人物たちの証言によって浮かび上がる秋生の人物像も、また忘れがたい。学生時代、付き合っていた協子が浮気をせめたとき、秋生はこう言う。「君を傷つけるつもりなんかまったくないよ。大切なことは、何があったかじゃない。君を傷つけようとする気持ちが、僕にあるかどうかということだ」。呆《あき》れ返った私は、〝恐るべし、この自己チュー男！〟と、思わず本を取り落としそうになったが、秋生もまた一色ではない陰影を深めていく。

特にプライドに関する箴言《しんげん》は強烈だ。（プライドを）「捨ててなくなるような自分なら、最初から自分なんてなかったってことさ。余計なものはみんな捨てる。捨てて、捨てて、全部捨てて、そうしたら最後にどうしても捨てられないものが残る。それが本当のプライドだろ。あとは所詮、ゴミみたいな虚栄心だ」。

読後、秋生は自然と周りを幸せにする〈幸福を売る男〉ではなかったかと思ったものだ。〈幸福を売る男〉は、たいてい俗世の成功とは縁のないもの。秋生もそうやって死んだ。でも、彼の磁力に引きつけられた惑星の女たちは、彼の死がきっかけで何かかけがえのないものを得る。せつなくも、人生の滋味を知る新たな旅立ちをするのだ。

思えば、女の三十代は、もう人生の夏は過ぎたことを思い知らされる季節だ。若くして結婚すれば結婚生活の単調さに倦《う》み、結婚していなければ、女の賞味期限なのか消費期限なのか、どちらなのかは分からないけれど、いずれにしてもデッドエンドの気配に怯《おび》え始める。離婚していたら、あの選択は正しかったのだろうかと、苦い後悔に苛《さいな》まれる瞬間があるかもしれない。

結局どんな道を選んでも、私たち女は、あり得たかもしれない「もう一つの道」に〝恋い焦がれて〟（という言い方もヘンだけれど……）しまうものなのだと思う。なぜなら、女は憧れを胸に飼う弱い生き物だから。でも、そんなことは夢想もしていないという顔で、毎日をやり過ごすほどリアルで逞《たくま》しい動物だから。

この本をそっと閉じた後、あなたは鏡に向かい、〝本当にくるまれたいと思っている毛布は、どんな毛布？〟と自分に問いかけたくなるかもしれない。先の秋生の言葉ではないけれど、虚飾の衣装を脱ぎ捨てて素に戻ったとき、私たちは本当の毛布に出会えるのだと思う。

四十代になった彼女たち、五十代になった彼女たち。私はまた彼女たちに会って、女の人生のやっかいさについて、打ち明け話をしたくてたまらない。

この作品は二〇〇二年十二月、集英社より刊行されました。

唯川恵の本

集英社文庫

あなたへの日々

愛されるより愛したい！　女性関係に奔放な造形作家の久住。平凡だがやさしい大学時代の友人・徹也。水泳のインストラクター・曜子23歳は、対照的な二人の男性の間で揺れる…。

シングル・ブルー

肩肘はってシングルなわけじゃない。でも、好きでもない男と暮らす気にはなれないし、好きだけで結婚するほど無邪気にもなれない…。シングルゆえの自由と不自由さ。元気になれる、愛のエッセイ。

愛しても届かない

好きになった彼には、彼女がいた。あきらめきれない七々子のとった行動は、彼の恋人・美咲に近づき、友達になることだった。嘘を重ね、友達を騙して、手に入れた恋の行方は…!?

イブの憂鬱

恋も仕事も中途半端、こんなはずではなかったのに…気がつけば30の大台目前。ブルーな日々に悩み揺れながら、自分の足で一歩を踏み出そうとする真緒の一年。

めまい

はじまりは一途に思う心、恋だったはず。その恋が女の心を追い詰めてゆく。嫉妬、憎悪、そして…。恋心の果てにあるものは？　狂気と恐怖のはざまにおちた10人の女たちの物語。

病む月

見栄っ張りで嫉妬深くて意地悪だけど、その本質は無邪気なまでに自己中心的な甘ったれ。それが女というもの。金沢を舞台に、10人の女たちそれぞれの心の深淵を描く短編集。

明日はじめる恋のために

恋愛小説の名手が、『ロミオとジュリエット』等、映画に描かれた男と女の出会いや関係を語り、さまざまな愛のかたちを浮かびあがらせる。恋のヒントがいっぱいのシネマエッセイ。

海色の午後

海の見える部屋で一人暮らしをする遙子。仕事、恋、結婚にまどう日々。自分らしく生きるために、遙子のした決断とは。唯川恵、幻のデビュー作。書き下ろしエッセイ収録。

肩ごしの恋人

女であることを最大の武器に生きる「るり子」と、恋にのめりこむことが怖い「萌」。対照的なふたりの生き方を通して模索する女の幸せとは…。第126回直木賞受賞作。

ベター・ハーフ

バブルの頃に結婚した永遠子と文彦。派手な結婚式をあげたけれど、結婚生活は甘くはなかった。不倫、リストラ、親の介護、お受験…それでも別れないのはなぜ？　結婚の実相を描く長編。

集英社文庫

今夜《こんや》 誰《だれ》のとなりで眠《ねむ》る

2006年9月25日　第1刷
2006年10月22日　第2刷

定価はカバーに表示してあります。

著　者　唯《ゆい》　川《かわ》　恵《けい》

発行者　加　藤　潤

発行所　株式会社　集　英　社
東京都千代田区一ツ橋2—5—10
〒101-8050
電話　03（3230）6095（編　集）
　　　　（3230）6393（販　売）
　　　　（3230）6080（読者係）

印　刷　大日本印刷株式会社
製　本　大日本印刷株式会社

Printed in Japan
ISBN4-08-746075-4 C0193